COLLECTION FOLIO

Patrick Chamoiseau

Une enfance créole

II

Chemin-d'école

Gallimard

Patrick Chamoiseau, né le 3 décembre 1953 à Fort-de-France, en Martinique, a publié du théâtre, des romans (*Chronique des sept misères, Solibo Magnifique*), des récits (*Antan d'enfance, Chemin-d'école*) et des essais littéraires (*Éloge de la créolité, Lettres créoles*). En 1992, le prix Goncourt lui a été attribué pour son roman *Texaco.*

Pour Guy et Yasmina,
baboumes de cœur,
en songer du fleuve de miel
qui vous servit de lune.

P. C.

Lè ou poèt, fout ou ka pwan fè...!
Quand tu es poète, oh quel fer...!

Jean-Pierre-Arsaye.

Il faut prier le ciel
pour disposer chaque jour
de quelque chose à rire — mais
sans rire de personne.

M. J. C. — Coiffeur.

des Antilles, de la Guyane, de Nouvelle-Calédonie, de la Réunion, de l'île Maurice, de Rodrigues et autres Mascareignes, de Corse, de Bretagne, de Normandie, d'Alsace, du Pays basque, de Provence, d'Afrique, des quatre coins de l'Orient, de toutes terreurs nationales, de tous confins étatiques, de toutes périphéries d'empires ou de fédérations, qui avez dû affronter une école coloniale, oui vous qui aujourd'hui en d'autres manières l'affrontez encore, et vous qui demain l'affronterez autrement, cette parole de rire amer contre l'Unique et le Même, riche de son propre centre et contestant tout centre, hors de toutes métropoles, et tranquillement diverselle contre l'universel, est dite en votre nom.

En amitiés créoles.
P.C.

ENVIE

Mes frères O, je voudrais vous dire : le négrillon commit l'erreur de réclamer l'école. Il faut dire, à sa décharge, qu'il avait depuis longtemps abandonné son activité de suceur de tété, et que, lancé dans l'infini de sa maison, il en avait pour ainsi dire épuisé les ressources. Cet obscur conquistador prenait goût maintenant aux rebords des fenêtres. De là, il guettait les folies de la rue, suivait de yeux jaloux les autres négrillons en train de se promener sans manman ni papa. Il était premier à l'appel quand il fallait descendre à la boutique en quête d'une salaison manquante pour Man Ninotte, sa manman. On le voyait alors, poitrine gonflée mais l'œil quand même inquiet, traverser la rue en mangouste furtive, risquer un regard audacieux dans les échoppes syriennes, et, sans pièce raison, une fois soustrait au regard de Man Ninotte penchée à la fenêtre, s'immobiliser blip! pour contempler la vie. Qui le voyait alors devait considérer

une sorte d'oisillon basculé d'une branche basse. Ses yeux écarquillés s'offraient tellement pleins d'innocence inquiète qu'on le croyait frappé d'une idiotie congénitale. De bonnes âmes s'approchant lui disaient : *Eh bien mon ababa, qu'est-ce tu fais là ? Où est ta manman, dites donc ?!...* Et lui, d'un bond, se transformait en un fil de fumée qu'aucune vitesse n'aurait pu rejoindre. Il zigzaguait entre les passants, voltigeait des paniers de marchandes, donnait de la tête dans de gros bondas qui brimbalaient dans le chemin, pilait le bon orteil de quelque nègre à douleur, et déboulait dans la boutique plus dyspnéique qu'un vieil accordéon.
Et terrifié aussi.

Je demande les Répondeurs, à présent...

Revenant de la boutique, il ramenait la salaison comme un voleur, rasait les murs, ne regardait personne, d'autant plus affolé qu'il ne connaissait qu'un unique chemin pour rejoindre sa maison. Il n'avait pas tort : ses victimes dolentes espéraient son retour. Telle marchande bousculée, dressée au même endroit, tentait de reconnaître l'isalop qui lui avait ranimé une vieille inflammation. Tel vieux-nègre endimanché, agitant une chaussure neuve au-dessus des passants, exhibait vengeur un orteil tuméfié. Le négrillon n'avait d'autre choix que d'avancer à travers l'attroupement, aussi petit-petit qu'une petite fourmi, plus coulant cool qu'un vent coulis coulé, presque changé en sel à mesure qu'il pénétrait dans la zone en émoi où d'atroces représailles se voyaient annoncées. Par un heureux-bonheur, nul justicier n'établissait un quelconque rapport entre la fumée apocalyptique et le petit nègre livide affligé de tremblades.

Une aventure comme celle-là procurait au négrillon de quoi calculer durant trente-douze éternités. Il avait l'impression que ses victimes le traquaient encore : il lui fallait donc se serrer. Aucun de ses proches ne comprenait son peu d'empressement à regagner la rue, ni pourquoi il fuyait les abords de fenêtres. On le découvrait d'une gentillesse exquise. Tout calme. Sage comme pas un. Obéissant aussi. L'œil pièce-pas insolent. Man Ninotte, experte en tous ses vices, soupirait à haute voix : *Mais qu'est-ce que ce petit bonhomme-là a dû encore faire comme couillonnade, han doux Jésus ?...* Et, méfiante, elle décomptait les allumettes, vérifiait la dame-jeanne de pétrole, contrôlait ses pots de marmelade, cherchait dessous les lits quelque désastre silencieux, sans se douter que c'était au-dehors que la Bête désormais commençait à frapper.

Au-dehors... la rue... et plus loin que la rue... beau chant de l'horizon... : tout ça, c'était ses envies neuves. Les séances de cinéma et les promenades du dimanche au cours desquelles les Grands le traînaient par une aile ne lui convenaient plus. Il voulait *aller seul.* Mais aller où ? En quel côté ? Il n'avait nulle part où aller et personne au monde ne lui avait confié une commission d'errance. Les petites aventures de la rue, entre la boutique et la maison, s'étaient accumulées jusqu'à anesthésier leurs récoltes d'émois. Le négrillon ne sursautait plus quand sur la route de la boutique on lui demandait : *Mais où tu vas, mon fi ?...* Il savait maintenant réduire ses craintes à une paupière fébrile ou à une sueur glacée. Rien ne le précipitait plus dans ces courses échevelées qui dans la rue François-Arago avait créé légende d'un zombi écorcheur de bobos. Il avait tenté de petites explorations, s'était aventuré plus loin que la boutique, avait approché seul les furies du marché-poissons quand les pêcheurs reviennent. Il avait même, en quelque jour d'expédition, observé l'émeute quotidienne de la Croix-Mission où les taxis-pays déversaient les hordes campagnardes. Il aurait pu aller plus loin encore. Mais c'était impossible : une loi de Man Ninotte pesait sur sa conscience. Lui, se sentait une âme de vagabond, mais Man Ninotte à chaque jour du bon Dieu maudissait cette engeance. *Épargnez-moi,* disait-elle à ses garçons, *épargnez-moi deux choses : que je vienne un jour vous rendre visite à la geôle, ou que je vous sache tombés en errance de chien-fer sans principe ni contrat... Pas de vagabonds chez moi, vous m'entendez, ces messieurs-là*[1] *!?...*

Alors le négrillon demeurait à rancir dans l'espace désenchanté de sa maison. Le pire, c'est que chaque matin les Grands se mirent à quitter la demeure. Au début, seule sa sœur aînée, surnommée la Baronne, s'en allait comme ça. Puis, le temps passant, Marielle la sœur seconde se mit à la suivre ; puis Jojo-l'algébrique le premier des grands frères ; enfin Paul-le-musicien prit la même route. Man Ninotte les habillait de frais, et, menés par la férule implacable de la Baronne, le négrillon voyait ses frères et sœurs prendre-disparaître à l'horizon *(...plus loin que l'épicerie oui, plus loin que le marché oui, plus loin que la Croix-Mission oui ...)* en portant d'étranges sacs. Ils réapparaissaient à midi, pour manger, et repartaient jusqu'au soir approchant. Le négrillon demeurait seul avec Man Ninotte qui se mettait à coudre dans le silence de la maison. Il allait par-ci, allait par-là, cherchait un reste de magie dans l'escalier, sur le toit des cuisines, s'évertuait encore sur l'émerveille d'une araignée, d'un rat, d'une libellule... Mais, awa !... tout semblait épluché. Le négrillon arpentait d'amers silences, des

1. *Répondeurs :* On t'entend ! On t'entend !...

immobilités fades, des déserts qu'aucune de ses folies n'avivait désormais. Et quand il tentait un refuge en lui-même, lieu de sa toute-puissance, il ne butait que sur cette obsession : *Aller*.
Mais aller où ?

Un jour, il expliqua à Man Ninotte qu'il voulait aller avec les Grands.
— Eti ?
— Aller.
— Aller où ça ? s'inquiéta Man Ninotte.
— Aller.
— Aller en quel côté, han ? J'ai laissé l'âge des paraboles... s'impatientait Man Ninotte (elle redoutait, en fait, de se voir déportée dans ces enfilades de questions dont le négrillon cultivait l'expertise insensée).
— Je veux aller avec les Grands là où ils vont ...
— Est-ce que tu sais où ils vont, han ?
— Je veux aller.
— Pas peur, pas peur, tu vas aller...
— Aller où ? en profita-t-il pour enfin savoir.
Alors, en toute gravité, le regard chargé d'exigence et comme d'une lueur d'espoir, Man Ninotte lui souffla :
— À l'école.

Répondeurs :
Au bout des cuisines
trois silences baillent une garde

tu les cognes l'un sur l'autre
mais c'est silence qui baille
en trois mais seul
tu bâilles autant.

Pourtant, les Grands ne revenaient pas de l'école en regrettant. Ils semblaient contents de rentrer au bercail. À peine arrivés, ils paraissaient se détendre, s'installaient à l'aise comme dans un havre de paix, peuplaient goulus les deux pièces, battaient la joie autour de Man Ninotte pour se coller à elle, l'abrutir de paroles, la toucher tandis qu'elle leur préparait un quatre-heures de saucisson, de pain rassis et de beurre margarine. Le plaisir du retour était tellement souverain qu'ils semblaient même ravis de retrouver le négrillon, leur petit frère calamiteux : ils l'embrassaient, caressaient ses cheveux grainés, se prêtaient à ses niaiseries durant bien une maille de secondes. Cette attitude inhabituelle aurait dû l'alerter, mais awa !... : le petit reclus ne voyait sur leur front qu'un dais d'espaces chargé de promesses.

L'autre mystère était ces sacs qu'ils trimbalaient partout. Celui de la Baronne était lourd, épais ; celui de Marielle un peu moins ; de Jojo à Paul les sacs énigmatiques s'aplatissaient. Chacun protégeait son sac avec férocité. Le négrillon qui tentait de s'en accaparer se vit une-deux fois voltigé.

Un jour, il fit la gueule-forte.

S'emparant du sac de Paul, il courut se serrer sous un lit en criant : *C'est à moi ! C'est à moi !...* comme s'il voulait d'abord s'en convaincre lui-même. Paul, peu sensible aux vertus magiques de ces cris, se disposait à régler une fois pour toutes ses comptes avec cette crasse. C'est la Baronne qui lui sauva la vie car Man Ninotte n'était pas là. Elle stoppa la furie homicide de Paul et introduisit dessous le lit une main longue, effilée, redoutable qui ramena là-même le négrillon à la raison. Il sortit de sa cache en chignant et rendit le sac à Paul. Mais attention[1] : obstiné comme bourrique, le négrillon se transforma en martyr du siècle. Il prit-pleurer durant trente-trois jours et trente-trois nuits d'affilée, sans même respirer ou songer à autre chose. Seul un bol de lait doux ou une écale de chocolat pouvait atténuer ce fracas insoutenable. Pour parachever cette désespérance, il se ramena un teint cireux, des maux de ventre, un semblant de variole. On le crut victime d'oreillons, de fièvres miliaires, d'une peste inconnue. On lui vit une démarche flageolante et des tics de paupières. Pour finir, son asthme familier devint soudainement invincible et il agonisa

1. *Répondeurs :* ... ô attention !...

pour de bon chaque nuit. Man Ninotte, à bout de nerfs, finit par lui ramener à lui aussi un sac (ou plus exactement comme il l'apprendrait plus tard : un cartable). Un petit rectangle de plastique rouge, muni d'une anse et d'une fermeture à pressoir. Ô cartable de grand mystère ! À l'intérieur, il dénicha un bâtonnet de craie blanche, une ardoise de carton et une éponge dans une délicieuse boîte ronde.
Un rêve pur.

Répondeurs :
Rêve bel !...

On le vit se promener dans la maison en exhibant son sac. On le vit prendre des allures de sénateur, de pape, de maître-pièce aux sourcils froncés. On le vit se parler à lui-même avec des gestes précieux. On le vit plus débile, ouvrant son sac et contemplant d'un œil glauque l'incompréhensible ardoise, l'incompréhensible craie, l'incompréhensible éponge, et refermer le tout comme on verrouillerait le coffret d'un trésor. On le vit sangloter pour être habillé le matin, empoigner son sac, suivre les Grands jusqu'à la porte où Man Ninotte le stoppait tendrement. On le voyait alors gémir au rebord d'une fenêtre, les regardant s'éloigner sans lui, et buvant jusqu'à l'extrême le fiel des abandons.

Répondeurs :
Vu sénateur
Wop wop manieur d'éponge !...

À force d'ouvrir son cartable et d'en manipuler le contenu, il effectua des découvertes. La craie se voyait bien sur le noir de l'ardoise.
Il traça un trait.
Puis deux.
Puis mille ronds.
Puis un lot de gribouillis.
Quand les deux faces en furent couvertes, il apprit à effacer. Avec sa main. Son coude. Ses épaules, jusqu'à ce qu'il soit devenu tout blanc et pleure la craie usée. Mais, en matière de craie, les Grands n'étaient pas chiches. Ils en avaient en lots, de toutes couleurs. Alors, le négrillon reprit ses gribouillages avec une craie verte et une craie blanche ; puis la Baronne lui offrit un moignon de craie rouge. Il obtint de Marielle une craie jaune contre un peu de tranquillité. Et Jojo, consterné de le voir effacer son ardoise à l'aide de ses cheveux, lui apprit le secret de l'éponge. On le vit alors, tout du long, suspendu au lavabo, rôdant autour des carafes, affairé au robinet du bassin, soucieux d'imbiber sa minuscule éponge qui ne lui semblait jamais assez mouillée. Et de tout temps, il n'eut jamais assez de craie, jamais assez d'éponge, jamais assez d'ardoise. Ça, je vous le jure.

Vint le temps des pétroglyphes. Un hasard lui permit de découvrir que les cloisons accueillaient bien la magie de la craie. Alors les cloisons de l'appartement en furent couvertes. Man Ninotte, habituée pourtant aux désolations, en perdit son bon ange. Elle le poursuivit à travers la maison en demandant ce qu'elle avait fait au bon Dieu. Elle le saisit par le collet en vue d'une belle volée mais se trouva engluée par le savoir-faire du négrillon. Ce petit monstre excellait à se faire soudain frêle, fragile, léger. Le saisir c'était saisir un poussin frémissant. Il savait noyer ses yeux d'une confondante détresse. Man Ninotte l'invincible était vaincue d'un coup. Elle dut consacrer l'heure à laver les cloisons et à lui détailler les supplices à venir en cas de récidive. *Ou pa ni an ti tablo ?!... Tu as ton ardoise, non ! ?...* Mais l'ardoise avait perdu tout magnétisme. Les cloisons seules étaient ensorcelantes. Alors, le négrillon se réfugia dans le couloir un peu sombre qui reliait les appartements. Là, personne ne s'inquiétait de l'état des cloisons. On l'y trouva désormais, artiste inspiré, hiératique, important, couvrant sans pièce fatigue les planches de bois du Nord d'une prolifération de saletés qu'il était le seul à trouver formidables.

L'autre avantage de la craie, c'est qu'elle avait

bon goût. Le préhominien, souvent, brisa un élan artistique au profit d'un coup de dent. Les cloisons durent s'accommoder des œuvres inachevées. Il y eut aussi des drames silencieux : réserver un ultime bout de craie en prévision d'un chef-d'œuvre à venir ou le manger là-même ? *Quel fer pour choisir !...* Mais ces drames furent brefs : l'imagination du négrillon ignorait lendemain et futur.

Répondeurs :
Les cloisons ont conservé
le temps des pétroglyphes.
Ô je les vois encore !
Je me vois encore...

... Ô reliques ordinaires, soyez mes Répondeurs...

Répondeurs :
Marquez, Marqueur !...
Marquez sans démarquer !...
Marquez !...

... Riez, je vous l'accorde, de me voir au long de ces naufrages, pilleur d'épaves délaissant l'argenterie royale, pas très sûr au filet, peu habile à l'hameçon, penché au-dessus de vous et très soucieux de vous...

... et vois maintenant, mémoire, comme je ne t'affronte plus, je te hume dans l'envol d'un arroi de poussières changeantes et immobiles... Ô muette clameur d'une vie qui va... As-tu ri de me voir tenter l'embrassade comme bougre-fou sur son ombre ?

... l'idée est de rester sédentaire en soi-même, dans l'estime dont le poète a institué l'éloge, attentif non pas à soi, mais au mouvement continu de soi... imperceptible toujours...

Dans l'estime...

... hélées ténues... Ô sensations sédimentées... connaissances du monde qui ne font plus que sentiments... lots de larmes et d'alarmes... sculpteurs de chair et d'âme... vous qui dans du vif avez fait mémoire d'homme... voyez, il vous convoque, encore renversé, toujours démuni, à peine plus affermi devant vous qu'au temps du prime émoi... Voici l'ordre : *Répondez !...*

Le temps des pétroglyphes n'atténua nullement l'envie d'école du négrillon. Au contraire. Les Grands parfois lui saisissaient sa craie et, d'un geste appliqué, traçaient quéchose sur l'une des cloisons du couloir. Et ce quéchose semblait être déchiffrable. Cela pouvait *se dire*. Ses gribouillages lui inspiraient des sons, des sentiments, des sensations qu'il exprimait comme ça venait. Mais ce n'était jamais les mêmes : leurs significations dépendaient de son humeur du jour et de l'ambiance du monde. Par contre, ce que traçaient les Grands semblait porteur d'un sens intangible. N'importe quel Grand à tout moment pouvait le décoder alors qu'ils demeuraient ababas (et grimaçants) devant les œuvres du négrillon. Ce mystère du sens prit vite de l'épaisseur, frôlant la tragédie. Voici comment...

Jojo-l'algébrique avait pris goût lui aussi à l'affaire des cloisons du couloir. Il se plantait auprès du négrillon, un bout de craie à la main, et sur la partie supérieure inaccessible à la petite bestiole, il alignait les chiffres cabalistiques qui semblaient essentiels à son maintien en vie. La proximité de son grand frère renforçait la frénésie gribouille du négrillon. Par contre, la présence de cette bestiole vrombissante à ses pieds devait passablement contrarier l'extase chiffrée de Jojo-l'algébrique. Toujours habile en cruauté, ce dernier trouva moyen de lui couper les ailes. Il lui inscrivit avec soin un machin à hauteur de ses yeux.

— Devine c'est quoi... lui dit-il.

— C'est quoi ?

— C'est ton prénom qui est là... tu es là-dedans !... révéla-t-il sous un rictus sorcier.
Wo yoyoy !... Jojo-l'algébrique venait de le précipiter dans une mauvaise passe. Le négrillon se voyait là, emprisonné entier dans un tracé de craie. *On pouvait de ce fait l'effacer du monde !...* Pris de peur, dissimulant sa cacarelle à Jojo qui s'en serait réjoui, il se mit à recopier mille fois le tracé de son prénom, en sorte de proliférer et d'éviter un génocide. Recopier était pénible. Et long. Il fallait, sourcils noués, garder l'esprit au même endroit. Sa main se découvrait maladroite sur ces formes closes, racornies sur elles-mêmes, dénuées d'élan ou d'énergie. Aucun geste auguste n'était possible là. Mais, comme il s'agissait presque de lui-même, ces formes à mesure-à mesure se virent gonflées de sens. Elles semblaient plus puissantes que les fulgurances déployées jusque-là...

Découverte : il tenait la craie à pleine main (n'importe quelle main) comme un poignard. Puis, une main fut repérée comme plus habile qu'une autre. Puis, il fut clair qu'en tenant la craie du bout de certains doigts la souplesse était reine. *Manman-manman-manman !...*

Il prit donc goût à emprisonner des morceaux de la réalité dans ses tracés de craie. Il se mit à réclamer qu'on lui marque des prénoms, puis des mots qu'il disait, puis des bruits qu'il faisait. Il réclama des formes de chien, de chat, de voiture, des nez, des yeux, des oreilles. Il aurait pu s'arrêter là. Mais, toujours affamé des extrêmes, il exigea de tout emprunteur du couloir qu'il lui marque d'un trait l'existence entière. La première demande tomba sur Paul qui n'était pas du genre à se casser la tête. L'enfant-musicien n'eut, une fois encore, que l'envie de le tuer. La seconde tomba sur Man Ninotte qui lui demanda, nerveuse, de sortir de ses pieds. La troisième, sur le Papa en grand uniforme de facteur, qui, accélérant le pas, sembla ne pas entendre. Jojo-l'algébrique seul lui porta une sibylline réponse. Il inscrivit deux petits ronds siamois et gronda d'un ton définitif : *Tout est là, c'est l'infini...*

Ce pouvoir d'emprisonner à la craie des bouts du monde lui semblait provenir de l'école. Nul ne le lui avait dit mais la craie, le cartable, le départ matinal vers ce lieu inconnu, relevaient à ses yeux d'un rite de pouvoir auquel il voulait s'initier. Alors, chaque jour, chaque jour, il réclamait l'école[1]. Réclamer est un mot mol. Disons qu'il tourmentait l'existence de Man Ninotte, la suivait pas à pas comme déveine envoyée, contrariait son balai, brisait ses chants

1. *Répondeurs :* C'est réclamer qu'il réclamait !...

de lessive, transformait ses repassages en cauchemar ralenti. Quand elle s'asseyait avec plaisir derrière sa machine à coudre (délicieuse terre d'asile d'un pausé-reins) l'Impie la pourchassait encore. Elle ne disposait même pas de la ressource d'une colère. L'élan de ses gros bras se brisait net au-dessus de la soudaine fragilité de son petit-dernier, et le formidable souffle de son cri bloqué-flap... ! expirait en une supplique ténue à la divinité. *Ô saint Michel, envoyez-moi la paix !...*

— Manman...
— Han ! bon dieu seigneur !
— Manman...
— Doux Jésus, pardonnez nos offenses...
— Manman...
— Je suis sourde, muette et aveugle de naissance... C'est comme ça que je suis...
— Manman...
— Oubliez-moi...
— Manman...
— Heureux les persécutés car le royaume des cieux est à eux !
— Manman...
— Qui m'appelle, han ?
— C'est moi...
— Tu vas pas encore me rendre étique avec ton histoire d'école ?! Tu m'as comprise, han !?
— Je t'ai rien dit...

— Tant mieux...
— Manman...

Répondeurs :
Étique !...

Quand Man Ninotte lui annonça qu'il irait à l'école dès demain-bon-matin, le négrillon demeura bec cloué de surprise. Cette bonne nouvelle ne diminua en pièce manière le calvaire de la pauvre négresse : le Bourreau voulut savoir pourquoi c'était demain et pas là-même ? à quelle heure il partirait ? avec quel linge ? est-ce qu'il serait obligé de mettre des souliers ? que finalement son sac n'était pas assez grand et qu'il préférait celui de Paul, et cætera, et cætera... Man Ninotte lui répondait patiemment, puis ne lui répondait plus. Mais le négrillon, érigé en lui-même, pouvait dialoguer des heures avec les silences obstinés de quiconque.

La journée d'avant le premier jour d'école fut la plus longue du monde. Soleil prit tout son temps pour se lever, ensuite il se mit en promenade de feignant. La matinée accoucha de longues heures enceintes qui passaient leur temps à tricoter dans l'engourdi d'une berceuse. Midi fut un cri fixe. Quant à l'après-midi, moment du grand silence, il amidonna le monde dans une touffe de chaleurs. Pris de frénésie, l'Impatient voulut donner de la vitesse au temps. À cette époque-là, pour accélérer l'existence, il suffisait d'aller dormir. Le sommeil et les rêves avalaient la langueur des journées. On se réveillait à l'autre bout d'un grand bond de sept lieues. La tête pleine de vents, le négrillon alla se coucher pour voltiger l'après-midi et avaler la nuit...

Répondeurs :
Le temps
nous amène d'autres temps
et en abandonne d'autres...

Au bon-matin, son réveil fut facile. Man Ninotte n'eut même pas besoin de le menacer d'une casserole d'eau froide. Il fut au garde-à-vous, disponible et gentil. On l'habilla en même temps que tout le monde. À la porte, Man Ninotte ne le retint pas. Elle l'entraîna par la main dans une direction autre que celle des Grands. Ils se dirigèrent vers le canal Levassor, passèrent la courbe du pont Gueydon et remontèrent la rive droite. C'étaient de nouveaux lieux. Le négrillon les avait entr'aperçus de loin. Il tenait fort la main de sa manman et balançait son cartable comme l'encensoir d'une procession. En lui, tourbillonnaient exaltation et crainte. Ils arrivèrent devant une coquette maison et se joignirent à d'autres manmans et d'autres marmailles dans un couloir qui menait à une salle. Là, d'emblée inoubliable, se tenait sa première maîtresse : Man Salinière.

Répondeurs :
Man Salinière
la clameur des yoles
fait mousser le canal
Ô les pêcheurs sont là... !
Toi
du règne de ta porte
un œil sur les enfants
tu t'attires d'une main
une promesse-poissons-rouges
Ô les pêcheurs sont là... !

C'était mulâtresse bien en chair, aux cheveux peut-être gris, à beaux-airs, très douce. Elle officiait dans une salle à manger où s'alignaient des bancs d'écolier dans lesquels s'encastraient deux encriers de plomb. Le négrillon n'en saurait que bien longtemps après leur utilisation car ceux-là demeurèrent à jamais vides. C'étaient des bancs au bois épais, noirâtres d'ancienneté, accablés de taches et de griffures. Ils semblaient pensifs. Tout allait bien. Man Salinière lui parla gentiment. Elle lui toucha les cheveux, se réjouit de la beauté de son cartable. Elle prodiguait le même accueil à chacune des

petites-personnes, mais le négrillon se sentit préféré.
Puis, le drame commença.
La main de Man Salinière remplaça soudain celle de Man Ninotte. Le négrillon, entraîné dans la salle, se retrouva installé sur l'un des bancs. *Ayayayayaye...!* : Man Ninotte était repartie!... elle avait longé le couloir!... descendu la rivière!... repassé le pont!... partie!... partie!... partie!... assuré à jamais!... Lui qui avait si souvent mimé les désespoirs fut anéanti par celui-là. Mais il n'eut pas de larmes, ni de fuite, ni de cris. Il prit le parti de se changer en roche et d'attendre pétrifié le retour de sa manman. Man Salinière, qui au cours de sa longue carrière avait dû affronter toutes qualités de cirques, découvrit ce jour-là qu'il était possible à certains négrillons de rester une matinée entière sans parler, sans respirer, sans cligner des yeux, sans entendre, sans voir, sans même frissonner, plus impénétrables qu'un éclat de dacite. Et l'œil opaque d'autant.
Répondez...

La réapparition de Man Ninotte à onze heures le ramena à la vie. Durant le chemin du retour, il demeura lèvres allongées, muet comme s'il avait été trahi. Man Ninotte, la traîtresse, lui posa mille questions auxquelles il ne répondit hak. Retrouver la maison, sa craie, ses cloisons, ses lieux, fut une sacrée doucine. Les premiers jours d'école, Man Ninotte mijoterait toujours un bon manger, elle s'endetterait sur une affaire de bifteck et de frites, ou sur une grillade de côtes d'agneau avec des bananes jaunes. Toutes choses quasiment inconnues qui compensaient l'effroi du premier jour d'école. À table, les Grands firent la fête au nouvel écolier et le félicitèrent de sa récente promotion. Ils l'interrogèrent mais, pour une fois que la parole lui était offerte, le petit monstre n'avait rien à raconter.

Après manger, l'appréhension digérée, il fut un peu moins chaud pour retourner là-bas. Voir repartir les Grands lui donna un peu de cœur. Il essaya d'obtenir de Man Ninotte qu'elle reste avec lui sur le banc de chez Man Salinière. Man Ninotte, ne lui promettant rien, l'entraîna ferme. Il se vit une fois encore abandonné aux liturgies de la gentille madame. Il eut beau planter sur Man Ninotte le plus pitoyable des yeux mourants, elle s'en alla quand même. Cette fois, il ne se transforma pas complètement en roche et laissa battre un œil et une oreille. Il entendit des chants. Il vit des jeux. Il se surprit à taper dans ses mains. Il se vit charroyé dans un plaisir inhabituel : d'autres négrillons (en fait, ils étaient multicolores, chabins, koulis, cacos, mulâtres, chi-chines, békés-goyave... mais il ne s'en apercevait pas) comme lui, de même taille, de même hauteur, de même langage, aptes à le comprendre, presque identiques à lui. Un don de connivences qui déboulait du monde.

Man Salinière lui donna du papier, et des crayons-couleurs. Elle lui fit voir d'étranges images de neige et chanter des choses douces de Bretagne ou de Provence. Parfois, elle stoppait la vie autour de la dégustation d'un biscuit, d'un verre de lait.
Puis on se remettait chanter.
Et puis on jouait.
Et puis on dessinait.

Man Salinière, un jour ou l'autre, accrochait de grosses lettres à son petit tableau. Dans un silence intrigué, elle articulait des sons chantants *A B C D...* La marmaille devait reprendre en chœur *A B C D.* Toute la ferveur d'enfance était dans ces chants-là. Chanter en ce temps-là se faisait avec l'âme. On devenait le chant, et le chant était sentiment vrai. Le négrillon avait vu sa manman chanter. Il avait même imité une-deux de ses couplets, et gardait souvenir des comptines créoles qu'elle lui avait murmurées au long d'une maladie. Mais là, avec Man Salinière, dans ce monde orienté sur lui, la ferveur était totale. On se donnait sans crainte, sans chercher à comprendre. Quand elle ouvrait les bras, effectuait avec ses mains une gracieuse rythmique, le négrillon se sentait envoûté, et il chantait, il chantait Aaaaa Béééé Céééé Dééééééé...

Un jour, Man Salinière leur demanda de refaire ces lettres sur leur ardoise et de les présenter quand elle claquerait des mains. Au début, le négrillon crut provoquer l'admiration en proposant plutôt une de ses gribouilles fulgurantes. Mais Man Salinière n'eut aucune réaction. Elle l'ignora et félicita d'autres. Par contre, quand à l'essai suivant il lui proposa son A plus ou moins imité (deux barres qui s'embrassent en haut, qui s'écartent en bas et que l'on relie tiak!...), elle le découvrit soudain, s'extasia, lui dit *Braaaaavo...!* Cet épisode transforma le négrillon en scribe expert du A majuscule et du a minuscule. Ce nouvel homo sapiens imprima sa science à la maison. Avec craie, clous et charbon, il grava des Aa sur chaque marche de l'escalier, il en mit sur la rampe et sur chaque barreau, il en mit sur le pas de chaque porte et en infligea aux cloisons du couloir. Seul le regard sévère de Man Ninotte (malgré le contentement qu'éprouvait cette dernière à le voir écrire de manière autonome) l'empêcha d'attester de son nouveau savoir sur le buffet, les quatre chaises, la nappe, la table. Les Grands, eux, demeurèrent indifférents à l'avancée savante. L'homo sapiens ne fut nullement désappointé par leur obscurantisme. Du moment de la soupe jusqu'à l'heure du coucher, il leur infligea la chanson des lumières : *a a a a a a a A, a a AAA aa aaa AAA aaa*... Les Obscurs durent prier-dieu pour qu'il s'endorme.

Répondeurs :
Soupe-pieds !...
Soupe-z'herbages !...
Soupe maigre !...
Qui ne veut pas grandir ?...

L'école était douce. Il y allait en courant. Man Salinière la transformait en fête. C'était une autre manière de Man Ninotte, aussi douce, aussi prodigue en disponible tendresse. Sa sévérité n'était pas une menace mais une tutelle compacte. Sa colère n'était qu'un mouvement de sourcil. Et elle ne punissait que par l'indifférence. Le négrillon avait désormais deux manmans, ou, plutôt, de Man Ninotte à Man Salinière il glissait sans angoisse. Elle semblait, en fait, à l'école des petites-personnes. Il avait l'impression que c'est lui qui lui apprenait des choses, il pouvait l'émerveiller en lui traçant une lettre, en lui miaulant le Do Ré Mi Fa Sol, en lui dessinant une sorcière, un sapin, un pommier, un flocon de neige, en lui trouvant une couleur dans le mélange de deux autres couleurs. Elle était emballée de le voir découper avec des ciseaux, coller des images, colorier, effacer. Tous ses actes étaient beaux, forts, vaillants. L'ennui c'est que ceux des autres enfants (de sombres attardés que le négrillon trouvait le plus souvent impioks) étaient tout aussi beaux, forts, vaillants. Quand il avait le sentiment de commettre une bêtise, Man Salinière ne le voyait jamais, ne l'entendait jamais : dans son monde, les bêtises ne rapportaient rien. Il les réserva donc en grande partie pour sa maison où ça fleurissait bien.

Il y eut tout de même une suée d'angoisse. Une marmaille sauvageonne commit un jour une grosse bêtise. Laquelle?... Elle avait sans doute planté un crayon dans une paupière ou fait saigner un nez d'un geste à grand balan. Man Salinière perdit de son bon ange, haussa le ton et entraîna le bêtiseur devant un petit espace clos, ténébreux, jusqu'alors invisible, caché sous l'escalier. Elle aligna la marmaille pour qu'elle le voie bien.
Le cachot!
Qui tombait au cachot, expliqua-t-elle, y restait à genoux dans le noir aussi longtemps qu'une Belle au bois dormant. On ne devait ni roucler, ni chigner, ni laisser soupçonner son existence. Le bêtiseur, regardant le cachot à ainsi dire

l'enfer, se mit à larmoyer. Ce trou noir semblait une gueule de ces dragons dont les petites-personnes avaient récemment découvert l'existence. Elles crurent y distinguer ces hurlements de loups dont désormais leur âme était peuplée. On regagna sa place sur jambes molles et silence. Il n'y eut plus jamais de grosses bêtises. Vraiment.

Man Salinière de toi, il me reste traces infimes. Ton nom. Tes beaux-airs. Ta bienveillante patience. Mes mains qui frappent quand tu chantes. Les tiennes qui rythment quand je chante. L'heure du pain et de la confiture. L'heure de sieste sous la touffeur d'après-midi, durant laquelle tu guettais nos paupières. J'ai oublié le son de ta voix, la manière de tes robes, la forme de tes mains, ton odeur... mais tout cela nourrit la splendeur muette d'une tendresse que je ne sais pas écrire. Allons, c'est décidé : malgré les autres, j'étais son seul vaillant !

Bientôt, il put se rendre seul chez Man Salinière, et revenir de la même manière. Man Ninotte l'accompagnait jusqu'au pont. Puis, elle s'arrêta avant le pont. Puis, elle se contenta de le regarder traverser depuis sa fenêtre. Puis, elle se contenta de l'embrasser quand il s'en allait avec les Grands. De la maison à la boutique et de la maison à chez Man Salinière, le négrillon disposait de deux chemins. Il commençait à *Aller*... Il ne lui fallut pas longtemps pour y ajouter un troisième : De chez Man Salinière à la boutique. Le monde s'élargissait, tonnan...

Chez Man Salinière, il apprenait de quoi alimenter d'interminables monologues avec Man Ninotte. Il pouvait babiller de la fée Carabosse, des sept nains, des affaires de sirènes, de pommes, de poires, d'un frère Jacques qui somnole, de son ami Pierrot-prête-moi-ta-plume. Il savait les problèmes de la Belle au bois dormant. Il débitait l'enfilade du Printemps, de l'Été, de l'Automne et de l'Hiver. Il pouvait dessiner la tour Eiffel, des trains, des bottes de foin. Il expliquait à Man Ninotte que les sorcières volaient avec de longs balais, et que des heures comme ça, elles pouvaient entrer dans ta maison en dévalant la cheminée... Il la rassurait en lui révélant l'existence des bonnes fées qui du bout de leur baguette magique dispensaient le bonheur. Man Ninotte était ravie de son immense savoir même si elle fronçait les sourcils en découvrant qu'il dessinait la maison entre chênes et sapins, coiffée d'une cheminée fumante. *Eti ?!...*

Le Papa regardait ce phénomène de loin. L'école ne lui paraissait pas un lieu déterminant. Le négrillon l'avait souvent entendu dire à la Baronne que dans un endroit comme ça on entrait mouton pour en sortir cabri. Le savoir du négrillon ne lui paraissait pas pertinent. Il écoutait son babillage d'un air guilleret, et interrompait d'une chanson l'exposé de ses sciences : *Les écoliers laborieux vont à l'école à leur ouvrage, mais... Bêêêêêêêê!...* Et ce bêlement l'amusait fort... mais le négrillon ne se sentait pas cabri, il se sentait écolier... La fierté du regard de Man Ninotte le lui confirmait.

Le Papa, penché au-dessus d'une des maisons à cheminées que le négrillon griffonnait tout-partout, s'inquiétait auprès de Man Ninotte : *Dites-moi, Gros Kato, on dirait que votre marmaille transforme notre case en chaudière d'usine... ?*

C'est Paul qui lui révéla l'odieuse vérité. Le négrillon avait pris un cancan avec lui. Il avait comparé son cartable au sien, puis sans doute décrété son école supérieure à toute autre, et sa maîtresse meilleure. Et Paul, au lieu d'en être terrassé, lui répliqua perfide :
— Et puis, c'est même pas l'école ton machin-là!...
— Hein!?... C'est quoi?
— La maternelle-poulailler!... C'est pour faire dînettes et chanter couillonnades...
Le négrillon en fut refroidi net.

L'enquête fut douloureuse. Man Ninotte, bien entendu, lui jura que chez Man Salinière c'était l'école : *Et si c'est pas l'école c'est quoi ? un marché-poissons ?* Quand il posa la question à Marielle (elle se peignait ses longs cheveux de femme-koulie) la réponse fut moins nette : *C'est une espèce d'école...* La Baronne, percevant son angoisse, se voulut pragmatique : *L'essentiel c'est que tu apprennes des choses pour devenir moins couillon...* Jojo-l'algébrique, entre deux colonnes de chiffres, le poignarda : l'école était plus raide que les macaqueries de chez Man Salinière... Mais trop occupé sur une formule à sept étages, il l'envoya promener sans autre précision. Le négrillon dut repartir à l'assaut de Paul. Comme ils étaient en guerre, il dut procéder à des manœuvres de paix en lui offrant une doucelette. Quand l'ennemi fut englué dans l'extase du bonbon, il lui demanda des précisions sur ce qu'était l'école. *Petit braille,* lui dit-il du ton docte des savants, *l'école c'est un côté où tu apprends des leçons ; si tu rentres chez manman sans avoir vingt-deux pages de leçon à apprendre hébin c'est pas l'école...*

— Manman...
— Eti ?
— Je veux aller à l'école...

— Bon dieu seigneur le machin le reprend!... hurla Man Ninotte épouvantée.
Et elle se répandit à travers la maison, cherchant l'énergumène qui avait menti comme ça au négrillon. Elle menaça tant et si bien que ses frères et sœurs défilèrent devant lui en geignant : *C'est l'école, ça va, ça va, tu es à l'école, c'est l'école, c'est l'école...* Menue consolation.

Sitôt revenu devant Man Salinière, il lui demanda des leçons à apprendre. Sans trop en comprendre l'enjeu, celle-ci lui répondit : *Tu auras bien le temps d'en apprendre, mon fi, quand tu seras à l'école...*
Le nouveau monde s'effondra.

Il se retrouvait encore inachevé, marmaille au nid. Il réfugia son amertume dans le plaisir de porter son cartable, de faire encore figure d'écolier aux yeux des Syriens qui le voyaient passer, de partir en même temps que les Grands, de revenir vers midi en inclinant la tête pour signifier aux sceptiques qu'elle s'était alourdie. Peaufinant l'aveuglage, il obtint un carnet de Man Ninotte et on le retrouva ensommeillé le nez dedans, terrassé par ces leçons imaginaires qu'il s'efforçait d'apprendre. Quand Paul le découvrait ainsi, mains à la tête, il s'écriait : *Bondié, ce ti-couillon-là n'a pas de leçons et il veut en avoir!...* Ce qui, aux yeux de tous les

Grands, revenait à dépasser la sottise et aller en montant...

Le Papa à Man Ninotte : *Holà, cette marmaille nous dessine des pommes en pleine saison-mangots !... Il lui faut un bain de menthe glaciale !...*

Répondeurs :
Beaux élans !...
Virées laides !...
La baille est à soulever,
la plus belle à venir !...

Mémoire, je vois : Man Salinière s'estompe. Il n'y a pas de départ, pas d'adieu. Elle ne dit pas : *Mes enfants, vous allez partir.* Elle ne dit pas : *Pensez à moi dans la grande école.*
Rien.
Des temps s'effacent.
Le négrillon se retrouve toujours avec Man Ninotte, un autre cartable à la main.
Temps gris.
Pluie fine.
Vent froid.
Il marche aux côtés de son frère Paul dans une autre direction. Ils parviennent devant une grande bâtisse de bois affublée d'un drapeau bleu-blanc-rouge. Là, des et-cætera de petites-personnes-garçons et de manmans tourbillonnent dans un désordrage terrible. Ça babille,

ça crie, ça chigne. Chacun est raide-comme-piquette dans l'amidon d'un linge, embarrassé dans l'emprise d'un soulier neuf. Chacun a subi la tondeuse du coiffeur jusqu'au double-zéro. Chacun sent bon le *Ploum-Ploum* et l'*Étoile.* La bâtisse est immense, grimpe sur deux hauts, pose une main sur le ciel.

Une sonnerie baille mouvement à la foule. Man Ninotte l'entraîne au-dedans d'une petite cour où un monsieur dressé sur une table procède à l'appel des enfants. Paul est nommé et va se ranger avec d'autres en double file. Le négrillon serre encore plus fort la main de Man Ninotte. Il entend son nom. Le monde s'écroule. Man Ninotte le pousse en direction d'un autre monsieur qui le fait aligner en compagnie d'autres petites-personnes inquiètes. Et il entend le premier ordre de son premier Maître : *Donnez-vous la main, messieurs...*

Répondeurs :
Temps gris.
Pluie fifine...
Rentrée des classes
c'est pluie tombée
L'En-ville sent bois-mouillé
carton-gonflé...

Man Ninotte s'en va encore et l'abandonne à

cet univers qui soudain devient hostile. Il n'est au centre de rien, il est parmi d'autres. Il doit être attentif car aucune bienveillance n'est prête à l'envelopper. Le Maître n'a pas la douceur de Man Salinière, il fait plutôt gardien de troupeaux-bœufs. Il guette l'alignement de la file, tranche de la main et ferme un œil pour régir une ligne droite. Il scrute chaque visage avec un intérêt méfiant comme si, devant traverser une niche de fourmis rouges, il tentait d'en supputer les exigences guerrières.

La salle de classe se trouvait au rez-de-chaussée de l'école Perrinon. Elle s'ouvrait sur la cour de promenade d'un côté, et de l'autre, à travers des persiennes entrouvertes, sur la cour de promenade de l'école des petites-personnes-filles. La classe était immense. Le tableau démesuré. L'ensemble était effrayant, sonore, plus dépouillé, plus anonyme. On était loin de la quiète atmosphère de chez Man Salinière. Là, rien ni personne ne faisait manman. Cœur dégringolé, le négrillon, pas fol, évita les premiers bancs et se réfugia au fondoc de la classe. S'adosser au mur le protégeait d'un côté et lui permettait de disposer d'une vue large de l'inquiétante situation. Sourcils amarrés, joues aspirées et langue âcre : il se sentait barré à l'arrière-fond d'une nasse.

Les autres petites-gens n'étaient pas mieux loties. Il percevait leur inquiétude suintante. Le troupeau s'entredévisageait et dévisageait le Maître à l'oblique en tâchant d'éviter son regard. Il allait-venait autour de son bureau avec un registre d'appel. Il sortait vérifier on ne sait quoi, revenait, signait des feuilles, ressortait sans s'occuper de ses captifs rigidifiés. La grande bâtisse résonnait de la montée des Grands vers les étages où se trouvaient leurs salles. On entendait traîner des chaises, grincer des fenêtres. On entendait des ordres, des appels, des objets renversés. Tout semblait s'éveiller d'une léthargie. On apercevait encore quelques manmans dans la cour en conversation avec *Monsieur le Directeur* que chacun apprendrait bientôt à redouter. Puis, le tumulte s'éteignit. La grille de l'entrée résonna lugubre sous la main du gardien. Un calme se mit à peser. Le Maître qui en avait terminé de ses vérifications se planta devant eux, et leur dit d'un ton raide : *Permettez-moi sans plus attendrre, nonobstant les aléas du moment, de vous souhaiter bien le bonjourr, messieurs...*
On se sentit bien mal.

En commençant l'appel, le Maître provoqua une asphyxie croissante du négrillon. À l'énoncé de son nom, il fallait se lever, hocher de la tête et articuler sur un ton énergique :

Présent!... Ces obligations surpassaient les forces de la plupart des petites-gens, et celles du négrillon bien plus encore. L'énergie de ce dernier était consacrée à se crisper de tout-partout et à amplifier sans le vouloir l'angoisse provoquée par l'abandon de Man Ninotte. *Ô traîtresse!...* En plus, ses genoux tremblaient. Ses jambes s'étaient muées en fines herbes grasses incapables de le soutenir. Les noms et prénoms étaient égrenés par le Maître. Les enfants se levaient un à un. Et le négrillon commençait à percevoir les différences. De rares enfants disposaient d'un reste de souffle. Leur *Présent* résonnait avec un rien d'entrain et même avec la fierté d'être là. D'autres, plus nombreux, chevrotaient un triste gargouillis. Certains se levaient en silence et retombaient d'un coup comme un mangot cueilli d'un jet de pierre. Deux-ou-trois, au lieu du *Présent* exigé, mâchouillaient un difficile *Pouézon...* Le Maître, impitoyable, les poursuivait alors : *Plaît-il?*

— ...pré...sent...
— Dieux de l'Olympe, on dirrait l'agonie d'un vieillard! Du souffle, jeunesse, voyons!...
— Présent!
— J'aime mieux ça!

— ...sent...

— On avale les syllabes!?... On n'a pas assez mangé ce matin? Rreprrenez-moi ça...
— Pr...sent...
— Le *é*, mon ami, c'est tonique, ça s'envoie! *Prééesent*, tonnerrre de Brrest!
— Prééesent!
— Ah, *tout* de même...

— ...Prst...
— C'est tout l'effet que suscite votrre nom? Disposer d'un nom se fête, jeune inconscient, ça se chante, carr figurez-vous qu'il n'y a pas si longtemps, esclaves, nous n'en disposions pas! Résonnez!...
— Présent!
— À la bonne heurre!...

À l'appel de son nom, le négrillon bondit sur pieds comme un élastique, bafouilla son *Pouézan*, et retomba dans sa place en s'aplatissant derrière celui qui se trouvait devant. Là, le souffle court, il attendit la fin du monde. Le Maître, hélas, n'avait pas eu le temps de le voir et le cherchait des yeux. *Qu'ai-je crru ouïr? Notre classe se verrait-elle hantée d'une prrésence fantomatique à l'instarr de Roncevaux qui, depuis le prreux Roland, effrraye le voyageurr? Montrrez-vous, s'il vous plaît...* Le négrillon à moitié mort dut se lever et se coincer le ventre contre le banc pour demeurer debout, tête pendante, épaules caves, et le souffle abîmé.

— Comment vous appelez-vous ?

En prononçant son nom, le négrillon suscita, malgré l'effroi ambiant, de petits ricanements parmi les petites-gens. Ainsi, il eut conscience de deux choses insoupçonnées auparavant et qui allaient empoisonner ses jours d'écolier. Son nom était un machin compliqué rempli de noms d'animaux, de chat, de chameau, de volatiles et d'os. Comme si cela ne suffisait pas, il se découvrit affublé d'une prononciation réfugiée en bout de langue qui l'amenait à téter les syllabes les plus dures et à empâter les autres. Cela transforma son nom en un mâchouillis d'un haut comique qui acheva son anéantissement. Le Maître (heureux-bonheur !...) n'insista pas : *Je vous sais grré d'avoirr daigné me laisser entrrevoirr votrrre auguste perrsonne, cherr monsieur...*

— Piésent !
— Nenni !...
— Pésent !
— Nada !...
— Présent !
— Ah.

Mais il y eut pire. Le Maître, poursuivant son appel, prononça un nom et un prénom sans provoquer de réaction. Il les répéta deux ou trois fois sans plus de succès. Il termina sa liste puis, saisi d'un doute, demanda qui n'avait pas été appelé. Le voisin de banc du négrillon se leva en hésitant-tremblant :

— Moua, mêssié...

— Et quel est votre patrronyme, mon brave ?

— Gros-Lombric, mêssié...

— Plaît-il ?

— Gros-Lombric, mêssié...

Le Maître se rapprocha avec la lenteur des menaces. Il cherchait à déceler quelque ironie désobligeante. Mais il ne vit en face de lui qu'un petit-être épouvanté.

— C'est ainsi, je présume, que l'on vous appelle à la maison et dans les bois avoisinant votre case ?

— Hein ?...

— Suivez-moi sans plus attendrre...

Et, pour haute vérification d'état civil, il entraîna dans le bureau du directeur le petit bougre qui en matière de nom ne connaissait que son surnom créole[1].

En l'absence du Maître la classe reste silencieuse. Peu de foubins osent murmurer. Chacun respire mieux et observe le lieu. Grand

1. *Répondeurs :* Non Bwa-mitan
Non Savann
Non neg-soubawou
Non Kongo !...

tableau noir écaillé à trois volets. Quelques images d'hiver accrochées au-dessus. Un bureau porteur de deux ou trois registres. Une armoire. De grandes cartes mystérieuses d'un pays hexagonal accrochées dans un coin.

Répondeurs :
Pluie fifine et temps gris.
Vent froid...

Quel était ton visage, premier Maître ? Tu étais très noir de peau, très maigre aussi, le cheveu bien lissé de vaseline, et ta pomme d'adam qui montait-descendre était énorme. Quel était ton nom ? Tout cela se perd dans une vaste panique. Ce premier jour d'école s'est racorni en émotion elle-même alimentée (d'année en année, d'étage en étage à mesure d'une progression dans la grande bâtisse) de celle des autres premiers jours. Premier Maître, tu porteras en toi tous les autres. Vous releviez du même principe. Et cette première classe sera grosse de l'enfilade des autres. C'est décidé, j'annule le temps, et les étages. Pluie fifine et temps gris. Vent froid, toujours. Qui répond ?...

Le négrillon passa la matinée comme une punaise-patate à l'en-bas d'une feuille amère. Il n'osa jamais regarder ouvertement le Maître. C'était une technique appliquée par la mar-

maille. Le risque était qu'en croisant son regard, il n'ait soudain l'envie de vous poser une de ses questions impossibles. Dans sa phase de découverte, il marchait de long en large, et parlait, parlait, donnant des informations que son petit troupeau (sauf peut-être quelques-uns déjà doués pour ce milieu) ne percevait ni par en haut ni par en bas. En marchant, il s'arrêtait devant les premiers rangs, tentait de crocheter des yeux une pupille fuyante. Devant la porte, il balayait du regard la cour silencieuse où soudain sa voix se répandait, puis il pivotait pour rentrer dans la classe. Soudain, il remonta l'allée centrale. Le négrillon à moitié enfoncé sous son banc, regard vissé au sol, entendit avec effroi sa voix se rapprocher. Une main de fer, après un court silence, le secoua : *Redrressez-vous, mon ami, de la tenue, voyons...* Revenu au tableau, le Maître saisit la craie et entama ce rituel qui allait désormais rythmer des jours et des jours, et des années de classe : *Qui est en mesurre de me dirre quel jourr, de quel mois, en quelle année, nous sommes ?...*
Soucieux silence sur l'assemblée.

Le négrillon n'avait jamais appréhendé le monde par ce bout-là. Il connaissait les jours de messe, les jours de lessive de Man Ninotte, le jour de la Toussaint, le jour de Noël, le jour de l'an... La vie se rythmait avec les temps-la-pluie ou temps-soleil, le temps des poissons rouges et du poisson blanc..., et Man Salinière ne leur avait jamais posé ce genre de question-là. Une des marmailles du premier rang pourtant se leva, donna le jour, le mois, l'année, provoquant une félicitation incompréhensible du Maître (*Ô lueur d'humanité dans l'océan des barrbarries !...*) qui calligraphia la réponse au tableau. C'était un lundi. Du mois de septembre. Le diable seul sait en quel modèle d'année.

— Observez bien, messieurs, ce que je viens d'écrirre. Ne distinguez-vous pas une élégance de parrties larrges et de parrties qui se font plus étrroites ? N'est-il pas ?... Figurrez-vous que cela s'appelle des pleins et des déliés... Pas d'écrriturre sans pleins et sans déliés...

La sonnerie sauva la vie du négrillon en lui rendant de l'oxygène. Il apprendrait désormais à l'accueillir avec une longue inspiration. Elle suscita dans les hauteurs de la bâtisse un brouhaha terrible. On sentit les classes exploser. Les escaliers s'emplirent de hordes libérées et, après une brève latence, un ouélélé déboucha dans la cour.
C'était la récréation...
Quelque petit bougre-fou eut le malheur de se lever-flap. Le Maître fondit sur lui comme une

guêpe rouge : *Qui vous a dit de vous lever ? C'est vous le chef ici ? Assis, chenapan, grraine de galapiat, gerrme d'escarrpe, bourrgeon de sacrré sacrré-sacrripant !...* Ils apprirent dans la sidération que, capitaine à bord de droit divin, le Maître était le seul à régenter les actes. Se mettre debout, c'était lui-même. S'asseoir, c'était lui-même. Ouvrir sa bouche, c'était lui-même. Quand il parlait, les regards et les oreilles devaient se nouer sur lui-même. La mine de chacun se devait d'être attentive, le maintien droit, l'œil aiguisé. Il fallait lui épargner les mâchouillements de lapin, les bâillements de bœuf au soleil, les sourires d'âne bâté devant du sirop-de-batterie, les caquètements de poules à l'en-bas des pupitres. Avant d'entrer dans son sanctuaire, il y avait obligation de s'évacuer la vessie et les tuyaux avoisinants en sorte de n'avoir rien à demander qui ne relève du pur savoir. Le doigt que l'on lève devrait être l'Annonciation terrestre d'une étincelle de l'esprit et non celle toujours navrante d'une urgence scatologique. Pas une mouche ne se devait de voler. Quand la classe avait commencé nul n'avait plus rien à dire ni à soi-même, ni au diable ni au Bondieu et surtout pas à son voisin. Savoirr et bacchanale ne font pas bon ménage, messieurs !... Orrdre ! Discipline ! Rrespect ! Maintenant, le prremier rrang se lève et sorrt en silence, en orrdre et discipline. Bien. Maintenant le deuxième rrang...

La sonnerie ne provoqua plus en eux qu'un irrépressible frisson de plaisir qu'il leur fallut apprendre à dissimuler au regard du Maître devenu vigilant.

Dans la cour de récréation, le négrillon se vit là-même environné de deux-ou-trois têtes-brûlées (sans doute des redoublants aigris, bloqués dans cette classe par leur inaptitude à lire Be-a-Ba...) qui lui répertorièrent les animaux contenus dans son nom. D'autres, caricaturaient le zézaiement de son bout de langue. Il lui fut clair que ses défenses habituelles ne fonctionneraient pas ici, il aurait eu beau se changer en roche raide, mettre pleurer-à-terre, se prendre de fièvre-frisson, sortir des yeux mourants... rien n'y aurait fait. Alors il leur cracha-tioup-tioup dessus. Les monstres, habiles, évitaient ses crachats. Ils le barraient par-devant, le barraient par-derrière quand il redescendait. Filaient une ronde autour de lui quand il restait planté. Le négrillon aux abois ne savait plus quoi faire. Des bouffées d'air haletantes lui soulevaient les épaules. Des spasmes de gros-cœur torturaient sa poitrine sans trouver de sortie. Une honte l'accablait. Soudain, la meute fondit sur Gros-Lombric, celui qui ignorait son nom. Il vit le pauvre-diable s'enfuir comme une balle perdue poursuivi par la queue des tourmenteurs aux anges.

Profitant de cette diversion, le négrillon partit à la recherche de Paul. Il le savait dans une des classes de l'étage. Il voulait se réfugier auprès de lui et contrer ainsi l'éventuel retour des bourreaux. Il l'aperçut à travers le tourbillon des enfants accoutumés à l'école (les nouveaux restaient encore agglutinés devant leur classe, ou dos au mur tentant d'évaluer les menaces de ce monde) et prit-courir vers lui. Paul, lui-même en pleine zouelle, se tourna malencontreusement quand le négrillon parvint à sa hauteur... Bok!... La collision fut inévitable. Le négrillon vit un lot de petites bêtes. Paul se retrouva quatre-fers-en-l'air à la kalibandjo, le front augmenté d'une bosse, maudissant cette bête-à-fièvre qui le traquait jusque dans la cour de l'école. Le négrillon de son côté trouva courage de ne pas pleurer, comprimer sa bosse, et disparaître dans l'émeute récréative avant qu'un attroupement impitoyable ne se forme. Deux-ou-trois autres petits-monstres les avaient repérés et les montraient du doigt en criant des saletés. Il termina sa première récréation à l'abord d'une rangée de robinets que les enfants n'arrêtaient pas de téter comme s'ils n'en avaient jamais vu.

Gros-Lombric était encore poursuivi. De temps en temps, le petit-bougre s'arrêtait, levait l'œuf de son poing, montrait une dent de lait, crachait, se réfugiait dans une encoignure...*awa...!* La meute ne le lâchait pas d'une maille. *I pa konnèt non'y!... I pa konnèt non'y!... Il ne sait pas son nom!...* On le bousculait. On le dépaillait. On le dépenaillait. On l'épluchait. On le dékalbichait. On lui filait des croche-pieds. On lui balançait des ziguinottes, des pichonnades. On le halait par un bout de chemise. Tandis qu'il ramassait un bouton arraché, on le bascula et il se mit à rouler comme une boule de foutbol. Tout cela se noyait dans un ouélélé général. Le négrillon comprit alors que la récréation était un lieu de guerre totale, sans pitié, entre jungle et désert, où de vastes génocides pouvaient se commettre sans que nul n'en soit alerté. Gros-Lombric eut soudain l'idée de génie de se réfugier sous le préau où se trouvaient les Maîtres. La horde s'évanouit alors comme pluie fine dans une terre de carême.

Où sont mes Répondeurs?

Sous le préau, les Maîtres conversaient entre eux. De temps en temps, ils avançaient d'un pas hors de leur espace vital pour stopper une dispute, ralentir une petite-personne qui déboulait trop vite, ramasser un minuscule qu'un plus

Grand avait fait voltiger. Les Maîtres portaient pantalon, veste, gilet, cravate. Ils marchaient comme des sénateurs, ne tournaient jamais la tête mais la totalité de leur corps. Leurs gestes étaient mesurés, ils semblaient s'en servir pour orner leurs paroles d'ailes soyeuses. Quand Monsieur le Directeur les approchait (de même nature qu'eux, mais l'œil plus sévère, le cheveu gris, les mains croisées derrière le dos, épaules voûtées sous le poids conjugué des sciences et des soucis), ils s'inclinaient devant lui comme dans une congrégation, et, pleins d'onction respectueuse, absorbaient sa parole. Sa présence électrisait les Maîtres qui se mettaient alors à mieux surveiller les enfants, à s'avancer dans la cour, à distribuer des conseils, à lever un doigt de menace sur qui oubliait de refermer un robinet. Pas un n'aperçut Gros-Lombric en frissons dans leur ombre salvatrice.

Monsieur le Directeur n'apparaissait pas souvent durant la récréation; son arrivée signifiait en général l'imminence de la sonnerie. Il avait l'œil à tout. Il savait voir les portes des cabinets mal fermées, les robinets ouverts, les enfants qui trimbalaient des objets interdits (quelque journal de mickeys, une bille, une arbalète...)... Il allait-virait comme fourmi rouge, affairé sur des urgences qu'il était le seul à déceler et qui disparaissaient sitôt qu'il avait viré dos.

Monsieur le Directeur ne parlait aux enfants que pour réprimander. Il n'avait pas de nouvelles à prendre ni de bonjour à donner. Il ne regardait personne, mais savait foudroyer l'insolent qui oubliait de le saluer, ou le petit-sauvage dont la frénésie ignorait son approche. Avec lui, le négrillon prit une des mesures du piège dans lequel il s'était fourré. Les enfants parlaient entre eux avec leurs mots, leurs tons criards, les manières du pays. Monsieur le Directeur s'avançant dans la cour provoquait autour de lui des raidissements subits. Les coureurs cessaient de courir. Les sauteurs cessaient de sauter. Les bêtiseurs cessaient de bêtiser. Les teneurs de discours ravalaient presque leur langue. D'une manière générale, toute vie s'anesthésiait. Ceux qui rectifiaient ainsi leur comportement disposaient déjà de l'expérience du lieu : c'étaient des anciens et leurs classes se trouvaient aux étages.

Mais ce n'était pas le cas de tout le monde.

Ainsi donc, un petit excité, nouveau débarqué, ne vit pas venir Monsieur le Directeur. Il racontait à pleine gorge une affaire de vieille voisine qui se changeait en bête-volante. Le Paroleur, corps tordu, la figure en grimace et les bras battant l'air, continua son conte de plus belle alors que Monsieur le Directeur était déjà sur lui. D'autres petits aveuglés, en cercle compact, pris aux chaleurs de l'histoire, écoutaient bouche ouverte. Monsieur le Directeur crocheta l'oreille de l'Animal et le traîna sur trente-douze mètres : *Qu'est-ce que j'entends, on parle créole ?! Qu'est-ce que je vois, des gestes-macaques ?! Où donc vous croyez-vous ici !? Parlez correctement et comportez-vous de manière civilisée...* Cela se sut des petits nouveaux. L'apparition de Monsieur le Directeur suscita autour de sa personne des pétrifications de cimetières.

Le négrillon ne devint jamais un foudre de récréation, de ces brusquants qui couraient tout du long, jouaient-zouelle, se gourmaient, tournaient-viraient comme des rats en dame-jeanne. Il demeurait assis dans un coin à parler avec quelque autre bougre de même nature que lui. Il eut de rares périodes où on le vit en courses-sans-manman dans une zouelle insensée. Mais ce fut rare. Et inconstant. Sa nature était contemplative. Il regardait les autres, suivait leur émoi, leur joie, leurs colères, repérait les méchants et les bons, les sauvages et les doux. Parfois, il se rapprochait de la grille d'entrée où une marchande (*Ô royale !... Répondez...*) vendait des doucelettes-coco, des filibos, des la-colle-pistaches, des tamarins sucrés, un lot de douceurs qu'il put rarement acheter car Man Ninotte ne lui donnait pas d'argent. Durant la première récréation, Man Ninotte apparut à la grille. Le négrillon s'y précipita comme un perdu, prêt à passer entre les barreaux. Il se voyait déjà regagnant sa maison. Mais elle lui expliqua que l'école n'était pas finie, et lui tendit un painrochocolat. Une merveille pure qu'il mâcha triste en la regardant s'éloigner dans les rues attrayantes de l'En-ville.

Répondeurs :
Marchande
passée riche
passée heureuse
nulle ride ou main crochue
et pièce calcul amer
ne pouvaient contredire
les fastes de ton tré
Ô royale !...
Ô sucrée !...

Sonnerie.
L'émeute cessa flap et s'organisa en doubles files de classes devant les Maîtres qui s'étaient alignés. Monsieur le Directeur surveillait ces manœuvres de loin. Il attendit une bonne qualité de silence. Attendit. Attendit. Voyant que le silence requis n'était pas près de s'installer, Monsieur le Directeur, sourcils amarrés, s'avança entre les alignements et posa un œil froid sur ceux qui se croyaient encore en zouelle. Les Maîtres, eux, vérifiaient la droiture

de chaque file et veillaient à ce que chacun donne la main au voisin. Attente. Attente. Alors, les vagues joyeuses refluèrent de la tête des petites-gens. Les énergies leur désertèrent les muscles. Leurs figures se figèrent. Dans un silence spectral, Monsieur le Directeur appuya sur le bouton de sonnerie. Les classes des étages s'ébranlèrent comme des chenilles domptées, puis celles du rez-de-chaussée. Revenu dans la salle de classe, le négrillon retrouva son asphyxie à l'endroit pile où il l'avait laissée.

Mais tout se passa bien : personne n'eut à parler, à écrire, à expliquer ceci-cela. Ce fut le Maître qui s'exprima. Et là, le négrillon prit conscience d'un fait criant : *le Maître parlait français.* Man Ninotte utilisait de temps à autre des chiquetailles de français, un demi-mot par-ci, un quart-de-mot par-là, et ses paroles françaises étaient des mécaniques qui restaient inchangées. Le Papa lui, à l'occasion d'un punch, déroulait un français d'une manière cérémonieuse qui n'en faisait pas une langue, mais un outil ésotérique pour créer des effets. Quant aux Grands, leur expression naturelle était créole, sauf avec Man Ninotte, les autres grandes-personnes et plus encore avec le Papa. Pour s'adresser à eux, il fallait reconnaître la distance en utilisant un rituel de respect. Et tout le reste pour tout le monde (les joies, les cris, les rêves, les haines, la vie en vie...) était créole. Cette division de la parole n'avait jamais auparavant attiré l'attention du négrillon. Le français (qu'il ne nommait même pas) était quelque chose de réduit qu'on allait chercher sur une sorte d'étagère, en dehors de soi, mais qui restait dans un naturel de bouche proche du créole. Proche par l'articulation. Par les mots. Par la structure de la phrase. Mais là, avec le Maître, parler n'avait qu'un seul et vaste chemin. Et ce chemin français se faisait étranger. L'articulation changeait. Le rythme changeait. L'intonation changeait. Des mots plus ou moins familiers se mettaient à sonner différents. Ils semblaient provenir d'un lointain horizon et ne disposaient plus d'aucune proximité créole. Les images, les exemples, les références du maître n'étaient plus du pays. Le Maître parlait français comme les gens de la radio ou les matelots de la Transat. Et il ne parlait que cela avec résolution. Le français semblait l'organe même de son savoir. Il prenait plaisir à ce petit sirop qu'il sécrétait avec ostentation. Et sa langue n'allait pas en direction des enfants comme celle de Man Salinière, pour les envelopper, les caresser, les persuader. Elle se tenait au-dessus d'eux dans la magnificence d'un colibri-madère immobile dans le vent. *Ô le Maître était français !*

Répondeurs :
De bord à bord
à même hauteur
tu bailles créole
Si le bord change
en plus haut
en plus bas
amarre tes reins
et ton français

Manman, quel fer... Le négrillon, dérouté, comprit qu'il ignorait cette langue. La tite-voix babilleuse de sa tête maniait une autre langue, sa langue-maison, sa langue-manman, sa langue-non-apprise intégrée sans contraintes au fil de ses désirs du monde. Un français étranger y surgissait en traits fugaces et rares; il les avait entendus quelque part et il les répétait lors de circonstances mal identifiées. Un autre français plus proche, acclimaté mais tout aussi réduit, se tenait en lisière des intensités vivantes de sa tête. Mais parler vraiment pour dire, lâcher une émotion, balancer un senti, se confier à soi-même, s'exprimer longtemps, exigeait cette langue-manman qui, ayayaye, dans l'espace de l'école devenait inutile.
Et dangereuse.
Ô quel fer!...

Le discours du Maître dura jusqu'à la sonnerie. Il parla de quoi? Sans doute de la lumière qu'apportait le Savoir aux âmes enténébrées. Il célébra sans doute l'École laïque que les gens de sa génération durent conquérir de haute lutte. Il signifia à ceux qui avaient la chance d'être assis là d'en prendre l'extraordinaire mesure. C'est une chance offerte, qui coûte cher, et qu'il ne fallait pas gâcher. Sinon c'étaient les champs-de-cannes, les dalots balayés, les tambours-et-ti-bois, c'était charrier des sacs au bord-de-mer pour l'appétit des békés, racler des coquillages sur la boue des Terres-Sainville, aller fouiller les canaux de La Levée, ou pire, se retrouver à traîner dans les rues les chaînes de l'ignorance et de la bêtise. L'obscurité bestiale où l'on perdait à jamais de l'idée de l'Homme.

Temps-en-temps, il s'arrêtait pour soupeser l'effet de sa parolaille sur son troupeau saisi. Il quêtait sur les figures et dans les yeux des lueurs intimes à pouvoir décoder. Le négrillon gardait la tête baissée ou s'empressait de détourner les yeux au moindre mouvement du Maître. À plusieurs reprises, il sentit le regard de ce dernier s'arrêter pile sur lui. Il se sentait soulagé quand la voix intimidante, se déplaçant le long du tableau, reprenait comme pour elle-même : *L'école laïque, messieurs, l'école laïque, la lutte fut haute, et c'est encorre un combat de chaque jour, nous fûmes César, Alexandre et Napoléon, guerrriers et conquérrants soulevant le monde entier, et nulle montagne ne fut si haute qu'elle se trouvât en mesure d'endiguer notre soif de savoirrrr...*

Ô démesurée douceur : retrouver la main de sa manman après un temps d'école...! On est la joie. On vibre en contentement. On fait adieu aux autres petites-personnes qui elles aussi s'échappent. On s'achemine vers chez soi comme vers le seul lieu indemne dans un monde bouleversé. Et chaque pas qui éloigne de l'école se veut définitif. Et personne ne regarde en arrière. Le flux des écoliers ravive l'En-ville, et on est en finale heureux d'en faire partie : on a un peu grandi. La peur atténuée, on se découvre fier d'avoir vécu ça, et le cartable reprend son balan d'encensoir. Je parle du muet triomphe de ce retour *douceurs ho...*

L'ancienne magie de la maison se réenclencha. Les ombres d'escalier se chargèrent à nouveau de présences attirantes. Les toiles d'araignée se remirent à vivre d'effacements et de moires. La tranquillité du toit des cuisines devint une niche où toute fin d'existence pouvait s'envisager. Tout était doulce. Tout était frais. En lui, tourbillonnait une vaste acclamation.

Il prend d'autres mesures à l'univers familier. Il découvre mille détails. Le voici qui regarde là

où ses yeux n'allaient pas. En haut d'une cloison, se découvre soudain l'image du Christ aux longs cheveux châtains, dont les iris bleus le poursuivent à gauche, et le poursuivent à droite. Il goûte enfin au tableau féerique accroché au-dessus du lit de Man Ninotte : auprès d'une jonque des ondines prennent un bain dans une eau d'un vert pas croyable ; des voiles translucides animent leur pâleur ; autour d'elles, volettent des angelots blonds, harpistes et chanteurs dans le sublime et l'innocence ; la silhouette d'un château à tourelles balafre l'horizon violacé d'une menace de séquestre ; cernant l'eau brumeuse, le flou d'une forêt bienveillante... tu regardes cette douceur saturnienne, tu regardes... tu regardes...
Et cet autre, surplombant le buffet ?
Des gens de campagne, debout dans le soir qui tombe, mains jointes, la tête baissée, les outils fichés en terre autour d'un vieux panier. Au loin, moutonnent des bottes de foin qui s'estompent dans un ciel solennel épinglé d'un clocher... l'heure est magique... l'ensemble élève une louange au travail de la terre, où s'emmêlent, immuables, fatalité, tristesse, courage, espérance, tendresse... Le négrillon, autrement attentif, n'en finit plus de regarder ces tableaux : Man Ninotte les avait ramenés de chez les Syriens, et ils peuplaient en ce temps-là chaque maison du pays... — et ils les peuplent encore.

Après le manger de midi, le négrillon vit approcher l'heure à laquelle Man Ninotte s'attelait à sa machine à coudre. Ô moment de bonheur !... la conscience de ne pas l'avoir suffisamment apprécié le submergeait maintenant !... Il se mit à l'anticiper avec béatitude. Mais l'attente fut brisée : *Va remettre ton linge, c'est l'heure de repartir à l'école !...*

Et tout est oppressant.

La chemise fait corset.

Les souliers et les chaussettes muent en pinces de torture. Le cartable autrefois fantastique recèle de sourdes craintes. Le négrillon qui n'ose pas dire à Man Ninotte son peu d'envie d'y retourner ressemble à une fleur fanée. Son pas est amolli. Les marches de l'escalier sont devenues géantes. Sa main moite ne serre pas celle de Man Ninotte, c'est elle qui le tient. Ça bouillonne dans son ventre. Ses souliers lui font mal. On dirait qu'il tousse... Mais cela ne provoque pas la compassion de Man Ninotte, C'est rien, dit-elle, c'est rien...

Répondeurs :
Amarre tes reins !...
Amarre tes reins !...

SURVIE

Quand on va vers l'école en début d'après-midi, on affronte des bonds de poussières sèches. Les Syriens ont baissé leurs rideaux métalliques. Les bijoutiers ont juste toléré, sur la vitrine de leurs trésors, un volet entrouvert. Un couturier, dos rond, peine encore sur le revers d'une veste ; son mètre-ruban noué autour de son cou permet qu'on le suppose échappé d'une potence. Là, une marchande (toujours la même) remonte déjà vers sa commune, paniers vides et l'œil terne. Les persiennes rayent la bienheureuse pénombre des salles à manger ; des voilages de rideaux brouillent la lueur fauve des meubles d'acajou. Au bout des couloirs sombres, se suspend le tableau lumineux d'un bassin d'argile et d'un robinet d'or, et d'une négresse qui repasse des éclats de blancheurs. Les balcons désertés supportent le triomphe des fleurs amies du soleil, qui toutes hurlent leurs couleurs. Les façades sont aiguës, hautes, implacables. L'asphalte chaud exsude un senti de misère. À chaque angle de rue, on croise d'autres écoliers effarés, d'autres manmans insensibles. À chaque angle, on se rapproche... Tout est de raide en raide...

La classe fut familière et redoutable. Le Maître aussi. Cette fois, le silence tomba très vite sur la bâtisse. Le Maître se planta devant eux encore plus vite. C'est l'après-midi. La cour est blanchie de soleil. Au sol, un vent usé réanime des poussières. Des raies de lumière s'écrasent sur les pupitres. L'air de la classe est immobile. Les petites-personnes sont un peu engourdies. Le négrillon se mit à regretter la sieste qui l'avait toujours ennuyé chez Man Salinière. Il espéra un moment que le Maître donnerait l'ordre d'une basse-tête auprès des encriers, puis il comprit que la sieste était bannie de ce monde-là. Que disent les Répondeurs?

La première leçon fut une leçon de morale. Le Maître raconta une histoire et posa des questions. Un pauvre paysan doit nourrir sa famille mais ne dispose en guise de fortune que d'un pommier. Ce pommier porte des dizaines de pommes. Seulement, le hasard l'a fait pousser de travers. La plupart des pommes balancent leur splendeur au-dessus de la rue. Régulièrement, le paysan les cueille pour les vendre au

marché. Cela lui ramène de quoi acheter du lait pour ses enfants. Grâce aux pommes, ces derniers ne meurent pas de faim. Mais, certains jours de printemps, quand il se présente sous l'arbre, le paysan ne trouve rien. Aucune pomme.
Que s'est-il donc passé ?
Silence dubitatif de la classe.
Le Maître attendit quelque peu, puis désigna un infortuné.
— Toi ? Que s'est-il donc passé à ton avis ?
— Jê sais pas, mêssié...
— Quelqu'un a cueilli les pommes, voyons ! Des pommes qui ne lui apparrtenaient pas. En cueillant ces pommes cette perrsonne a-t-elle, selon toi, commis une bonne action ?
— Ah noon, mêssié...
— Bien. Et cette perrsonne... comment pourrrions-nous l'appeler ?
— C'est un volêr-dê-poule[1], mêssié...
— Vo...*leurr*, pas *volêr* ! Voleurr de pommes, pas de poules !... Un voleurr de poule vole des poules, un voleurr de pommes vole des pommes ! Est-ce bien de voler ?
— Noonn !... cri unanime de l'assemblée qui en profita pour respirer un peu.
— Est-ce bien de cueillirr à un arbrre qui ne nous apparrtient point ?

1. En langue créole, le chapardeur est appelé « voleur-de-poule », quel que soit l'objet de son délit.

— Nooon!...
Moralité : *Je ne cueillerai pas des pommes qui ne m'appartiennent point.*
Et le tout fut inscrit au tableau.

À la table du soir, le négrillon révéla l'affaire du pommier. Mais elle n'impressionna personne. Le Papa s'inquiéta à peine de savoir où il aurait bien pu aller cueillir des pommes, vu qu'inconnues au pays, elles arrivent par bateau, dans des boîtes fermées, et à moitié pourries?... Malgré cette incompréhension, le négrillon compléta ses dessins de la maison d'un lot de pommiers rougis de pommes énormes, environnés de gendarmes levant de gros bâtons.

Il dessina aussi de longues pointes de châteaux et de clochers qui transperçaient des ciels barrés de nuages noirs. Il dessina un loup.

Le lendemain, la classe reprit avec un autre rituel. Le Maître mobilisa un petit-vif à la tâche de remplir les encriers de chaque pupitre. Les encriers s'animèrent d'une encre luisante, impénétrable, pleine d'énigmes. Le négrillon regardait dans son encrier comme au travers d'une fenêtre ouvrant sur des lieux inconnus. Il avait envie d'y mettre le doigt, de goûter, d'y descendre. L'encre, compacte comme une pupille, frissonnait quand il remuait le banc.

Alors, il le remua. Une poussière de craie se mit à y flotter comme un radeau en perdition. Alors, d'un souffle discret, il y expédia les poussières du pupitre. Soudain, à force de fixer l'encrier, il bascula dans une tempête noirâtre dans laquelle se débattaient et-cætera d'embarcations naufragées. Les vagues étaient de l'encre. Le vent était de l'encre. Les navires étaient des sculptures d'encre. Des éclairs bleu nuit zébraient parfois le tout. Il réussit à s'accrocher sur un radeau d'encre. *Wache! wache!...* avec une rame d'encre, il se mit à frapper-wache la houle autour de lui afin d'écarter des monstres d'encre qui ruaient de l'abîme...
Tak!... la voix du Maître brisa le charme...
Ce dernier ordonnait maintenant de distribuer des porte-plume. Un manche de bois muni d'une plume fine qu'il fallait laisser dans la rainure du pupitre et ne toucher qu'au signal du Maître. Puis, ce dernier fit répartir des cahiers d'écriture qui portaient le nom de chacun. Le négrillon reçut le sien mais ne put pas l'examiner car là aussi il fallait le ranger dans un coin du pupitre. Exalté par ces nouveaux trésors, proches et inaccessibles, le cœur du négrillon se faisait entendre.

Les jours fileraient comme ça, domestiquant à mesure les encriers, les porte-plume, les cahiers. On les recevait le matin, on les rendait le soir.

Ils ne quittaient jamais l'école. Devenus familiers, ils se verront de jour en jour chargés d'un peu de soi. L'encrier gardera mémoire opaque du temps. Le porte-plume (la plume vite abîmée et remplacée souvent) se souviendra des premiers pleins et des pâteux déliés, et le cahier quadrillé (ha ! je te vois chevalier conquérant, cabré définitif sur toutes les couvertures) se fera bible d'échecs, de craintes, de réussites coûteuses. *Ô cœur d'aujourd'hui... !* : chaque encrier, chaque porte-plume, chaque cahier-quadrillé-bleu, en tout lieu, en toutes heures, en tout âge, déclenche des pluies cendrées, des pluies sableuses, des fumées graves, des émiettements fuyants, tout vient en boule à la tête et au cœur... — et l'homme d'à-présent (bâti sur ce néant) s'émeut de ce néant comme d'une gloire intime.

Je peux crier cette sensation : les protège-cahiers, aux couleurs neuves, brillantes, changeantes pour la lumière, douces et riches pour le doigt, leur odeur de plastique étranger qui peuple les premiers jours d'école et qui nimbe les cahiers vierges de blancheur quadrillée, et leur terne oubli sous les taches d'encre, les déchirures, la muette asphyxie de leur couleur. Je commande bien cet étonnement : *un peuple de protèges qui inaugure d'incertaines saisons...*

Répondeurs :

Vrai cœur d'aujourd'hui !...

Mais la journée se poursuivit sous de mauvais auspices. Le Maître eut l'idée saugrenue de vérifier les effets de la leçon de morale. Il procéderait ainsi jour après jour. Son idée le dirigea vers Gros-Lombric. Comme le négrillon, ce dernier essayait de se faire oublier. Gros-Lombric était arrivé en retard. Transpirant comme un cheval empoisonné, il avait pu s'intégrer juste-compte à la colonne qui s'ébranlait en direction de la classe. Monsieur le Directeur par miracle ne l'avait pas repéré. Le Maître, par contre, l'ayant entr'aperçu, avait secoué un doigt raide en sorte de signifier sa désapprobation. Gros-Lombric pensait l'avoir échappé belle. Mais, comme il n'est jamais bon de se faire remarquer en ces lieux difficiles, c'est tout bonnement à lui que le Maître songea quand il fallut évaluer la leçon de morale. À l'appel de son nom, Gros-Lombric se leva en arborant un air de Jésus crucifié sans perspective miraculeuse.

— Quelle était la morrale d'hierr ?

— Les pommes, mêssié...

— Les pommes, les pommes... mais encorre ?...

Quelques anciens levèrent un doigt enthousiaste, impatients de débiter ce que voulait le Maître. Mais ce dernier, les ignorant, demeura suspendu comme un diable-sourd au gilet de Gros-Lombric.

— Faut pas cueillir les pommes, mêssié...

— Bien. Mais cueillirr sans autorrisation le bien d'autrrui cela s'appelle comment?

— Ça s'appelle voleur-de-pommes, mêssié...

— Bien.

Le Maître allait s'arrêter là mais, hélas, restant là, il fut visité d'une obscure intuition.

— T'est-il arrrivé de cueillirr sans autorrisation?

— Êêêê... Oui, mêssié...

— Et ce geste s'appelait alorrs comment?

— Je sais pas, messié...

— Tu me l'as dit incessamment, cela s'appelle *vo... vo...*

Pris d'un effroi soudain Gros-Lombric devint une sueur coulante, yeux sortis, les mains secouées devant son visage, il se mit à crier: *C'était pas des pommes, mêssié, c'était des mangots, pas des pommes!... c'est pas voler, c'est pas voler!... puisque c'étaient des mangots, mêssié!...*

Le Maître eut un poignant soupir... Mais ses angoisses n'étaient pas pour autant terminées...

— Nous allons étudier, dit le Maître, le son A. Le A c'est la premièrre lettrre de l'alphabet. Contrairement aux pommes, vous connaissez parrfaitement ce que je vais vous montrrer. Le

nom de ce que vous allez voirr commence avec un A.
D'un sachet, il exhiba un fruit et le disposa avec soin sur le registre d'appel.
— Comment s'appelle ce fruit? demanda-t-il triomphant après avoir accordé un long moment d'identification collective.
Il avait les mains jointes comme en action de grâce, sa tête penchée sur un côté semblait porter la charge de ses paupières dirigées vers le sol.
Un cri-bon-cœur fusa de l'assemblée :
— Un zannana[1], mêssié !
Horreur.
Le Maître eut un hoquet. Une agonie déforma son visage. Ses yeux devinrent des duretés étincelantes. *Morbleu !...Comment voulez-vous donc avancer surr la voie du savoirr avec un tel langage ! Ce patois de petit-nègrre vous engoue l'entendement de sa bouillie visqueuse !...* Son indignation était totale. Sa compassion aussi. Il marchait à pas de rage, cherchant sur les figures défaites ceux qui avaient hurlé cette énormité. Une sueur éclaira son front et descendit abîmer la blancheur de son col. Il nous scrutait en circulant sans cesse de la colère à la pitié. Et le son de sa voix contenait un tremblement brisé. Il semblait à présent réfugié sur une rive lointaine et, de là, évaluer

1. En langue créole, *ananas* se dit *zannana,* et commence donc avec un z. *(Note de l'Omniscient.)*

notre perdition dans un vieux marigot. L'hosanna de ses bras signifiait l'ampleur du curage qu'exigeait le salut de notre troupeau : *Ô écurries d'Augias, il faudrrait dix Herrcule!...*

De leçons en leçons, l'Hercule dut arracher-couper pour extraire de son troupeau un repérage de quelques sons élémentaires. Pour le son *ou,* on lui proposa *manicou, boutou, balaou* que la langue française ignorait. Le son *o* ne lui amena qu'un grossier *boloko.* Quand, pour signifier le son *eu,* il prit (malheur pour lui) l'exemple du *feu,* un exalté crut qu'il s'agissait du petit punch créole de midi et hurla (content de lui, ce béotien!) que son papa en faisait tous les jours. Le Maître s'inquiéta de savoir s'il s'agissait d'un *pyromane* avant de comprendre, qu'une fois encore, il était retombé dans l'ornière barbare.

Quand les enfants parlaient, le *u* se transformait en *i* selon leur loi naturelle. La viande *crue* devenait *cri,* l'homme *juste* se faisait *jiste*; *refusé* dégénérait en *réfisé.* Le son *eur* se délitait en *ère*: *docteur* donnait *doctère,* la *fleur* devenait *flère, inspecteur* s'étalait en *inspectère...* Mais il y avait pire aux yeux du Maître : les *r* disparaissaient, le *torchon* n'était plus qu'un *tôchon,* la *force* se muait en *fôce...* Alors le Maître sévissait, se moquait, raillait, grondait, pleurait, hurlait, grimaçait, secouait un pied. Il serrait à gauche, purgeait à droite, tentait de prévenir en montrant ses propres lèvres en train d'articuler à celui qui parlait, ou imposait un silence brutal à tel autre qui avait « mal » démarré. Parfois, il prenait à témoin l'ensemble de la classe, *Avez-vous entendu cet animal ?*, en sorte qu'un petit-revenu-de-France se lève triomphant et assène la juste règle du bon accent.

Les petits-revenus-de-France n'étaient que trois mais, depuis leur premier rang, ils aimantaient la classe. L'un d'eux, fils d'un mulâtre douanier qui roulait une Aronde, avait débarqué récemment du bateau Colombie. Ignorant l'univers créole, il disposait d'une science parisienne d'accent brodé, de vocabulaire et de comportement qui émotionnait le Maître. Les deux autres (l'un était marmaille d'un gros docteur, l'autre d'un méchant inspecteur des contributions directes) n'avaient voyagé qu'entre les murs de leur blockhaus familial dans lequel l'univers créole ne semblait pas avoir pointé. Leurs parents avaient maçonné autour d'eux de hautes murailles d'images de France, de comportements prophylactiques, d'articulation surveillée, de manières traquées; ils étaient, de ce fait, arrivés sur les bancs de l'école aussi exotes que s'ils s'en fussent venus des terres impossibles qui s'étendent derrière le dos de Dieu. Ils disposaient de moins d'aisance que le petit douanier, mais de plus de facilité que n'importe lequel d'entre nous pour s'adapter aux orthopédies culturelles que déployait le Maître.

À grands efforts, chacun se surveillait. Les enfants se mirent à rire de ceux qui ne maîtrisaient pas leur *u* ou leur *r*. Prendre la parole fut désormais dramatique. Il leur fallait bien écouter la tite-langue-manman qui leur peuplait la tête, la traduire en français et s'efforcer de ne pas infecter ces nouveaux sons avec leur prononciation naturelle. Redoutable gymnastique. Quand le Maître posait une question seuls les petits-aiguisés qui revenaient de France (ou dont les parents avaient fait du beau-parler-français un principe de leur vie) pouvaient se lever et oser la parole sans buter sur les *u* et avaler les *r*. Parler devint héroïque, voilà ce dont je parle. On encourait non seulement une enragée du Maître, mais encore d'être poursuivi durant la récréation par une meute infernale dont les membres n'étaient pourtant pas mieux lotis que quiconque face au français. Leur propre incapacité décuplait leur méchanceté. *I fè an kawô. I fè an kawô. Il a fait une faute!...* D'un jour à l'autre, au hasard d'une réponse ou d'une phrase, on pouvait basculer tout entier dans le grotesque et le barbare. Les silences s'épaissirent à mesure que l'on avança dans les sons, les mots et les lettres. Chacun se sentait invalidé.

— Que voyez-vous ici ?
— Un chouval, mêssié !...
— Tudieu !... c'est un cheval !...

— Au bout de sa ligne, Papa met un... un...
— Un zin !
— Non, un hameçon, *isalop* !...

En proie à l'énervement, le Maître lui-même retrouvait son créole. Il lui arrivait aussi, en quelque heure de fatigue, d'atténuer ses *r* ou de perdre son *u*. Mais il se reprenait en sursaut. Sa vigilance sur lui-même devenait alors extrême, constante, comme une arbalète bandée. Sa phrase frissonnait, encore plus appliquée, mesurée, méfiante d'elle-même ; elle s'aventurait dans les sons en supputant avec prudence les passes hasardeuses où la proximité du créole s'annonçait redoutable. Son vœu d'articuler se voyait exaucé par l'utilisation éperdue de l'accent brodé des Blancs-france. Et il multipliait les *r* et allongeait les lèvres comme une pointe de couteau sur les soucieuses ciselures que mignonnait sa langue.

— La capitale de la Frrance, c'est...
— Paru, mêssié...

— Parris, trriste sirre!... Quelle mouche vous pique!? Ici on peut prrononcer le *i* tout de même!...

Les petites-personnes s'étaient mises à se méfier du *i*. Certains judicieux avaient trouvé plus simple de le rayer de leur vocabulaire au profit d'un *u* élevé universel. Le Maître, éclaboussé d'un invraisemblable charabia, dut sévir pour que les *i* réapparaissent. Alors, les petites-personnes se mirent à semer des *r* là où il n'y en avait pas. *Châtier* devient *chârtier*, *fumer* devient *furmer*. Chacun, soucieux de se hisser dans les cimes du savoir, se débattait comme il pouvait, et tout le monde macayait dans un français surprononcé. Plus que jamais le Maître abominait le créole. Il y voyait la source de ses maux et l'irrémédiable boulet qui maintiendrait les enfants dans les bagnes de l'ignorance. Il sommait les parents de soustraire leur engeance aux infections de ce sabir de champs-de-cannes en exigeant d'eux le français du savoir, de l'esprit et de l'intelligence. Sus au créole en toutes circonstances, et plus encore quand les enfants causaient entre eux. Il fallait immoler cette chienlit sur d'exemplaires bûchers de vigilance.

Nous voir patauger dans ce problème de langue le raidissait de jour en jour. On le voyait aborder à nos rives insanes, le regard lourd; on le sentait accablé quand nos accents créoles chantonnaient mollement dans notre français couché, récité et traînant. Alors, il se redressait, rentrait le ventre, se haussait le pantalon dans un mouvement des coudes, s'éloignait de tout son être de nous, et, avec la foi en Dieu, déployait les fastes de son français universel...

Le Maître sollicitait parfois des phrases mais, chacun (embarrassé par les soucis de sa tête où la petite-langue-manman demeurait interdite de sortie) se taisait. Le négrillon était arrivé la tête pleine de mystères, de choses vues, d'insectes aux mœurs fabuleuses, il savait comment comprendre les fleurs qui s'ouvrent la nuit, vivre le jeu du vent sur la seule poussière d'un rebord de fenêtre, il percevait l'âme des étants immobiles qui habitaient des temples éteints, des soupirs secrets qui filtraient des interstices du monde. À partir d'une des images que le Maître leur montrait parfois, dans le but de susciter des commentaires, il aurait pu envoyer mille paroles monter. Mais le Maître l'avait rendu muet d'autant plus muet que maintenant il soupirait à chaque heure : *Ô cette engeance crréole n'a rrien à dirre !...*

Un jour, Le Maître ramena une branche de tamarin dépourvue de feuilles, et l'accrocha au-dessus du tableau. Qui dérapait avec un mot créole, une tournure vagabonde, se voyait redevable d'un cinglement des jambes. La liane se mit à peser sur les consciences. Le négrillon en fut plus que jamais ababa-mustapha. Sa langue bientôt lui parut lourde, son verbe trop gras, son accent détestable. Sa petite voix en lui-même devint honteuse ; son naturel de langue dégénéra en exercice de contrebande qu'il fallait étouffer à proximité des Grands, et hurler entre soi pour compenser. Entre petites-personnes, on ne parlait pas français. D'abord, parce que le naturel était créole, ensuite parce que le français était là aussi devenu risqué. Qui disait *jounal* au lieu de *journal* était discrédité à vie. Le moindre cahot créole provoquait une mise en la-fête sans pièce miséricorde. En français, il n'y avait pas de proximité. Le créole lui, circulait bien, mais de manière dépenaillée. Précipité en contrebande, il se racornit sur des injures, des mots sales, des haines, des violences, des catastrophes à dire. Une gentillesse ne se disait plus en créole. Un amour non plus. Elle devint la langue des méchants, des majors, des bougres-fous en perdition. Le gros créole était le signe du fruste et du violent. L'équilibre linguistique du négrillon s'en vit tourneboulé. Sans remède.

— Que voyez-vous là ?
— Un canari !...
— Mais non, morrbleu, c'est une casserrole !

— Quoi, quoi, quoi, un « zombi » ? N'avez-vous jamais entendu parrler des elfes, des gnomes, des fées et feux follets ? ! Éparrgnez-moi vos « soucougnan » et vos « cheval-trois-pattes » !

Désespoir du Maître : les enfants parlaient par images et significations qui leur venaient du créole. Un *nouveau venu* était appelé un *tout-frais-arrivé*, *extraordinaire* se disait *méchant*, un *calomniateur* devenait un *malparlant*, un *carrefour* s'appelait *quatre-chemins*, un *faible* était dit un *cal-mort*, *difficile* devenait *raide*, pour dire *tristesse* on prenait *chimérique*, *sursauter* c'était *rester saisi*, le *tumulte* c'était un *ouélélé*, un *conflit* c'était un *déchirage*... etc. Les étoiles brillaient comme des graines de dés, comme des peaux d'avocat, ou des cheveux de kouli. On était beau comme flamboyant du mois de mai, et tout ce qui était laid était vieux... Chaque fois qu'une petite-personne ouvrait la bouche, le Maître croyait entendre (disait-il, consterné) un hurlement de loup... *zérro, zérro, zérro !...*

— Petit Pierre dans les champs du village avale beaucoup de mûres jusqu'à ressentirr un furrieux mal de ventre. On peut dirre que c'est un...
— ... agoulou ...
— Qui a dit ça ! ?... Qui a dit ça ! ?...

À la récréation, Gros-Lombric égara ses bourreaux. Ces derniers se trouvèrent une victime inattendue : un Grand infortuné drôlement accoutré. Il avait peut-être commis une bêtise ou quéchose d'approchant. Le Maître avait sans doute fait passer aux parents un billet d'alerte si bien que, lendemain-bon-matin, le malheureux fut envoyé en classe dans une toile de sac-farine percée de trous pour la tête et les bras. Son apparition dans la cour provoqua une méchante fête. On se mit à s'envoyer-monter autour de lui, Gros-Lombric en premier. Le Grand n'avait que la ressource de ne rien entendre, de ne rien voir, de ne pas ressentir les poussades, les croche-pieds qui fusaient tout-partout. Il n'avait pas un côté où se mettre ; le préau lui paraissant insoutenable (les Maîtres lui opposaient les sourcils noués de la réprobation), il errait à travers la cour, poursuivi d'une meute qui ne serait vaincue que par la sonnerie. Temps-en-temps, le puni perdait patience et cherchait à étrangler un de ses persécuteurs. Le cercle explosait alors ; nostr'homme se retrouvait à tournoyer dans le vide comme une toupie-mabiale, ses contorsions rendues grotesques par la robe infâme qui lui battait les genoux.

— On ne dit pas *manman*, on dit *maman*, vous m'entendez, vilains ? !...

Le négrillon, au fil des temps, devait voir beaucoup de ces infortunés condamnés par leurs parents pour bêtises à l'école. Certains se pointaient avec la chevelure trouée par des ciseaux hostiles. D'autres devaient conserver un pantalon qu'ils avaient déchiré et à travers lequel on voyait leurs pommes-fesses. Celui-là, surpris par le Maître avec quelque chewing-gum-malabar, devait le transporter écrasé dans ses cheveux, et expliquer la chose à ses parents. D'autres trimbalaient une pancarte sur laquelle ils avaient dû inscrire eux-mêmes : *Je suis un âne...* Mais il y avait pire...

— Dieux du ciel ! on ne dit pas : *C'est ma man-man-doudou nian nian nian,* on dit : *C'est ma grrand'mère... !* ou bien : *C'est ma mamie... !* Mais que vais-je donc fairre de ces zazous-là ?...

Le Maître était armé. Au fil de nos bêtises, il dévoila son arsenal. Il y avait bien entendu la liane-tamarin-verte qui séchait redoutable au-dessus du tableau et qu'il renouvelait de semaine en semaine pour cause d'effritement ou de disparition rétive à toute enquête. Elle était souple et s'enroulait pour mordre tiak ! à l'arrière de la jambe. Son extrême pointe savait gonfler la peau. Parfois (quand durant son dimanche il s'était promené dans les hauteurs de Balata), il la remplaçait par la raideur dorée d'une liane-bambou dont la frappe marquait rêche, mais qui très tôt bâillait vaine sur sa longueur. En temps d'urgence, on le vit brandir une liane-mangot ramassée en chemin, souple elle aussi, mais rugueuse, qui empourprait la peau comme un cheveu de méduse. Il eut son temps de liane-mahot, par trop sensible à la dessèche ; en quelque heure de désespoir, il mania une liane-ti-baume dure comme fer et presque sanguinaire. Il nous ramena parfois la liane-calebasse prise à maturité, furieuse à la morsure et immortelle autant. Je me souviens aussi de la liane-bois-volcan (qu'il appelait liane-allemand, car elle envahissait) qu'il savait faire claquer comme un coup de canon au-dessus de nos affres.

En quelque veine de raffinement, il désignait l'un d'entre nous et le chargeait de lui ramener une liane de son choix. L'Infortuné en présentant sa liane le lendemain devait rester debout auprès du Maître tandis que ce dernier examinait la trouvaille, la nommait en latin, éprouvait sa flexibilité, énonçait ses potentialités afflictives, et, selon ses airs de résistance, félicitait ou non. C'est ainsi que Gros-Lombric (il disposait d'une science végétale secrète) fut congratulé pour une harpie verdâtre ramenée des bas-bois, longue, élastique comme un cuir tressé que le

Maître ne put ni reconnaître ni nommer. Sous cette inhabituelle semaille de louanges, Gros-Lombric conserva un front impassible (et ce regard-en-bas que confèrent les arrière-pensées) au point que le Maître le déclarât inaccessible aux subtilités des odes laudatives. L'Inconnue qui semblait invincible fut accrochée en oriflamme au-dessus du tableau, appuyant sur nos consciences les menaces convergentes de l'œil de Caïn et de l'épée de Damoclès. Le Maître, par contre, en fut émoustillé. On le sentit assoiffé d'un quelconque bêtiseur, d'un sauvage-à-créole réfractaire à la science; de fait, il interrogeait les faillis habituels, campait alerte auprès des naufragés connus, flattait l'encolure des insolences et des frissons de travers. Le troupeau, terré sous une écale de tortue molocoye, n'exhibait au monde qu'une vacuité de cimetière. Le Maître dut attendre deux jours d'éternité avant qu'un misérable se fasse mal-remarquer, et se précipita en assoiffé sur sa liane prometteuse. Awa! sur la jambe de l'élu, l'Invincible explosa inattendument oui, comme une paille oui, au premier coup oui, sans causer le moindre mal. En matière de lianes, le Maître n'exigea plus rien de Gros-Lombric.

Le Maître nommait ses lianes : il y eut Durandal, Excalibur, La Chaux, le Serpent, Attila, Apocalypse, La Guerre-14, Hiroshima, Jeanne d'Arc,

Du Guesclin, Électrique, Robespierre, sans compter les Fendantes, Tranchantes, Coupantes... qu'il baptisait en urgence automatique dans ses jours de méforme.

Répondeurs :
Les Maîtres armés
gravaient État civil
en stigmates sur les jambes
mémoire-peau
registres de cicatrices
ho douleurs fossiles
les tibias osent des songes

Avant le recours au fouet, les étapes étaient nombreuses selon l'humeur et le moment. On pouvait être sommé de rester debout à sa place, ou derrière le tableau, ou face au mur du fond. On pouvait se voir suspendu par l'oreille jusqu'à héler pitié par crainte qu'elle ne s'arrache. On pouvait recevoir sur la tête le tok dévastateur d'un index-marteau. On pouvait être pincé à l'épaule, sur le dos, crocheté par la peau du ventre et être mené ainsi jusqu'au tableau comme un cabri de sacrifice hindou. On pouvait...

Mais bien vite, il y eut du nouveau. Qui était surpris en parole inutile avec son voisin ou qui se révélait incapable de répéter le dernier mot du

Maître devait avancer au tableau, tendre les bras et supporter sans broncher quatre ou cinq coups de règle sur le bout de ses doigts assemblés en bouquet. Les lianes perdirent un rien de leur horreur au profit de ce nouveau supplice. Un autre jour, il déploya pour ceux dont la tête était quelque peu raide un serrage inédit. Gros-Lombric se retrouva bien vite agenouillé devant la porte avec l'obligation de taper des poings au-dessus de sa tête jusqu'à ce que le Maître lui permette d'arrêter. Bien entendu, ce dernier l'oublia, et on le vit, la matinée durant, effectuant des gestes de plus en plus ralentis, puis engourdis, puis hésitants, jusqu'à ce qu'il bascule en avant et s'étale comme un fruit-à-pain doux. Et le Maître impitoyable lui hurlant : *Vous ai-je donc dit d'arrrêter, séditieux ?!...* Le Maître était armé.

Le négrillon, un jour, comme Gros-Lombric et beaucoup d'autres, se retrouva agenouillé devant la porte. Le Maître qui entre-temps avait perfectionné son système lui avait confié deux roches qu'il devait frapper tok tok tok l'une contre l'autre au-dessus de sa tête. L'on avait plus ou moins amadoué cette misère. Qui s'y retrouvait embringué prenait son mal en patience d'autant qu'il était à peu près sûr de s'en tirer vivant. Mais on ignorait encore les latences de ce piège. Ce n'était pas pour rien que le Maître forçait l'infortuné à s'agenouiller au mitan de la porte. Le négrillon, à ses dépens, sut très vite pourquoi...

Il était là, tok tok tok, à taper mélancolique ses roches amères, quand un pas léger fit sauter son cœur. Chose assez rare mais pas si rare que ça, Monsieur le Directeur effectuait ce jour-là une ronde à travers la bâtisse. Nous allions apprendre à le repérer, flottant furtif sur un fil de silence sous-marin, son regard en torpille à travers une fenêtre, contrôlant le tableau, évaluant le Maître, inspectant les élèves. Parfois, solidifié devant la porte de la classe, il intimait au Maître un *Poursuivez, je vous en prie.* La voix du Maître montait alors d'un cran, son français s'aiguisait, et une raideur de plus haute autorité lui arquait le corps. Monsieur le Directeur, lui, depuis la porte, nous rabotait des yeux et nous laissait, à son départ, en copeaux consumés par ses pupilles-lance-flammes. On le voyait effilé dans l'encoignure d'une porte. On apprit à distinguer le couinement aigre de ses chaussures vernies dans le silence des escaliers. On sut reconnaître sa manière de secouer la grille pour en tester la fermeture. On apprit à le suivre, depuis les classes, au long des robinets qu'il serrait, obstiné. On sut rester méfiant quand le Maître avait le dos tourné, car lui, Monsieur le Directeur, pouvait surprendre votre bacchanale en se matérialisant soudain à la fenêtre... Alors, le ciel vous écrasait. Au soleil, ses cheveux faisaient argent massif. À l'ombre, petit coton à reflets jaunes. Son visage partout était d'autorité, de noblesse grave, de soucis et de lumières ridées. Personne ne s'habitua jamais à le voir ou à le rencontrer durant une récréation, toujours le cœur-sauté, toujours une la-tremblade, toujours la submersion d'une culpabilité originelle que son regard débondait en un tak de seconde.

Répondeurs :
Fer... !

Monsieur le Directeur, je nomme tes silences, ton maintien, ta netteté jamais atteinte d'une sueur malgré les frappes du soleil ; je nomme aussi ce rapport à l'école, à la vie, aux autres, forgé dans ces solennités dont les bâtisseurs de cathédrales invoquaient le secret. Nègre, tu te fuyais toi-même, et maintenais au-dessus des champs-de-cannes, du sucre, des rires banania, des békés, de la danse, des tambours, des flots du rhum, de cette vie qui n'avait comme projet que nous lier à la boue, une élévation obstinée. Et dans la nappe des souvenirs le tien lève, tutélaire. Tutélaire, pathétique.

De voir le négrillon agenouillé devant la porte de la classe précipita Monsieur le Directeur dans une colère sans horizon. Que faites-vous là, malandrin ?! Et, il lui crocheta l'oreille, le releva en pivotant sur lui-même, et le poussa en direction des escaliers. Allez m'attendre dans mon bureau...

— *Qui peut me faire une phrase pour illustrer l'arrivée du printemps par l'évocation d'un vol d'hirrondelles au-dessus du clocher enneigé de votrre village ? Perrsonne ? Palsambleu !...*

Le négrillon n'avait jamais monté les escaliers. Il savait que le bureau de Monsieur le Directeur se situait au dernier étage, à gauche du dernier palier. Il emprunta donc les marches vides dans un état dont il vaut mieux ne pas parler. Au premier étage, une fenêtre était ouverte et il put entr'apercevoir le vertige tranquille de la rue, son soleil encore séduisant, ses passants qui allaient-viraient en liberté, les magasins ouverts sur de paisibles présences ; tout l'aspirait au-dehors de l'école. Chaque marche lui chargeait les épaules. Quand l'escalier du deuxième étage s'acheva, il se sentit mal et eut envie de redescendre-disparaître quelque part en courant. La porte du bureau était ouverte. S'il avait pu lire, il aurait lu dessus : *Directeur*. Le négrillon se mit debout devant et, comme animal blessé, il se mit à attendre. En lui, l'impatience avait disparu, il goûta même ce suspens du temps dans une immobilité cataleptique.

Un pas lent résonna dans les escaliers, puis Monsieur le Directeur survint. D'une sévérité absolue, lisse, sans faille aucune. Il posa des questions au négrillon qui ne trouva pas la force d'y répondre ni même de les entendre. Pourquoi avez-vous été puni !? Allez-vous me répondre !? Vous êtes venu ici pour semer la chienlit, ce me semble ?!... Et il extirpa de son armoire un fouet sophistiqué, couleur paille, se terminant par une natte de ficelle. Le négrillon dut lever les mains au ciel, s'appuyer sur le mur, jambes écartées, et recevoir les deux wach de fouet sur les mollets. Dans l'instant, heureux d'avoir entendu qu'il pouvait s'en aller, il ne ressentit pas grand-chose. Mais, à mesure qu'il redescendait l'escalier, s'éloignait du bureau de Monsieur le Directeur, la brûlure, la honte, la misère l'envahirent de partout. Il se sentait brisé définitif, banni du monde des vivants et voué à traîner ses stupeurs dans un labyrinthe d'escaliers vides. Parvenu sans trop savoir comment devant la porte de la classe, il n'était plus qu'une loque que le Maître renvoya à sa place sans une once de compassion. Quand il claudiqua entre les bancs, les petites-personnes le regardèrent comme un zombi-vendredi-treize échappé d'un tombeau. Personne ne commit de bêtises avant une charge de temps. Enfin, juste le temps que met une marmaille pour oublier l'atroce... Ô répondez-moi...

Personne ne sut qu'il avait été puni, et surtout pas Man Ninotte. Pendant une-deux jours, il vécut dans l'angoisse que le Maître ne lui dresse réquisitoire quand, aux récréations du matin, elle amenait un painrochocolat à son petit dernier. Quelle douceur quand même de la voir arriver !... de revoir son sourire, ses yeux, son corps, de sentir qu'il avait prise sur le monde à travers elle, elle si forte, si savante en la matière de vivre !... Quel émoi de la voir !... Pourtant, des espaces inaccessibles à Man Ninotte s'accumulaient en lui. Il lui dissimulait à présent des peurs inavouables, des craintes sans gloire, des douleurs inaptes à lui ramener un supplément d'amour. Il gardait secret de ses échecs, des remontrances, et des coups infligés, car Man Ninotte semblait conférer à l'école une autorité suprême. Elle exécutait avec un tel soin les exigences écolières de ses enfants que cela semblait être l'ultime sens de sa vie. Contester l'école auprès d'elle c'était comme attirer la foudre d'une mésestime. Alors, l'esprit du négrillon s'aiguisa sur l'idée de survivre aux rigueurs de l'école.
Survivre.
S'en sortir.

Et cela, il le sentait, l'éloignait des siens pour creuser au mitan de lui-même des poches de solitudes. Afin de garder ses nouveaux secrets, il tranchait des liens subtils avec le monde, il se rendait opaque à Man Ninotte, il n'était plus ouvert-confiant sur la présence des autres, il jouait des paupières sur l'innocence traîtresse de ses yeux et apprit à creuser une distance entre son élan de cœur et le jet pur de sa parole. C'était survivre, je dis, et mourir en même temps.

Rencontrer Monsieur le Directeur, c'était ressentir encore les brûlures du fouet, précises, exactes ; l'effroi des escaliers vides que l'on monte ou que l'on descend le submergeait autant. Monsieur le Directeur devint le dragon tapi dans les hauteurs, qui pouvait vous fondre dessus comme un dieu cannibale.

Répondeurs :
Fer... !

Parfois, c'est plaisir : un papillon jaune s'égare dans la salle de classe et se met à entortiller ses folies au-dessus de la tête du Maître. En d'autres temps, c'est une libellule, ou parfois une abeille. En quelque jour d'effroi c'est un mabouya qui s'élance d'un creux d'ombre poursuivi par on ne sait quel cauchemar et qui se met à prendre le tableau pour savane de promenade. Alors, c'est le ouélélé. Les petites-personnes comprimées en elles-mêmes utilisent ces irruptions comme des chances de joie, de cris, de peurs simulées, de bacchanale, contre lesquels le Maître ne peut pas grand-chose. *Allons allons, messieurs, pas de quoi en faire une tragédie racinienne... ni grecque d'ailleurs...*

L'esprit du négrillon se mit à faire papillon. Chaque fois qu'il se retrouvait greffé à son banc, des envols irrépressibles s'opéraient en lui-même comme pour compenser l'immobilisation anormale de son corps. Lui-même ne s'en rendit pas compte, l'envol de l'esprit est sans annonce, duveté des silences d'un vaisseau fantôme. La voix du Maître bourdonne, la classe s'efface en demeurant dans le regard, des images ondulent... — c'est Man Ninotte, c'est tel côté de la maison, tel émoi en suspens..., — puis la classe reprend une réalité tremblante pour s'estomper encore. Un mot du Maître, une histoire, une phrase incompréhensible, ameutaient en lui des vertiges sans fond, comme si sa rencontre avec le monde n'allait qu'en bousculade avec le songe. Cette chimère clignotante devait lui conférer l'œil vague du marigot et un rien de lèvres pendantes que le Maître avait fini par savoir repérer. *Oh là, notre Cyrano de Bergerac a encore regagné le refuge de la lune!...*

Gros-Lombric, lui, n'était pas un songeur. Il avait besoin de ses mains, il triturait la table, se grattait les pieds, puis le nez, se tordait sur une fesse, puis sur l'autre, comme si son corps contraint exigeait un toucher fourmillant pour entrer dans le monde. Il adorait manipuler craie, ardoise, porte-plume, ouvrir-fermer un cahier. C'était un petit-bougre d'un noir-bleuté, aux cheveux rougis-roussis-grainés par le soleil, aux yeux aigus, au corps déjà raide et musclé. L'ayant catalogué, dès le premier jour, comme l'inapte irrémédiable de la classe, le Maître avait tendance à se rabattre sur lui pour illustrer les méfaits de l'ignorance. Il lui posait à loisir les pires colles, les questions les mieux impossibles, et ne retenait jamais son doigt quand d'aventure une réponse le visitait. Gros-Lombric servait de bouclier au négrillon. Comme ils partageaient le même banc, c'est lui qui aimantait les tirs immanquables que le Maître décochait du tableau, ou les railleries massives des autres petites-personnes. Le négrillon qui le côtoyait ne partageait pas la dérision ambiante. Il voyait l'énergie de ses mains, son intangible décision de survivre, la vigilance extrême de ses yeux qu'il savait dissimuler, la fermeté de ses lèvres, la force de son corps mobilisé pour sentir les ondes de la classe, résister aux assauts, se camoufler en lui-même, faire écale contre les attaques, se détendre et aspirer l'univers de l'école comme l'aurait fait un fauve emprisonné qui prépare son assaut. Et surtout cette capacité à sourire qu'il conservait toujours et qui montrait au négrillon (bouleversé au plus profond de son être) à quel point celui-là demeurait intouché en son intime personne.

Les Grands étaient les gardiens du monde, geôliers tutélaires.

De fait, Gros-Lombric surprit son monde quand le Maître se lança dans des affaires de calcul et de chiffres. D'abord, il fut le premier à pouvoir compter jusqu'à dix même s'il lui fut de tout temps difficile d'en écrire les chiffres sur son ardoise. Mais là où il fut tranchant, c'est dans le calcul mental...

Le Maître avait ramené quelques pommes en plastique avec lesquelles il entreprit de nous dévoiler la joie des chiffres. De un à dix, puis de dix en dix, puis de cinq en cinq, de deux en deux, de un à cent... etc. Additionner, soustraire, diviser... quand ces notions-là nous furent après moult douleurs un peu moins étrangères, les fulgurances de Gros-Lombric surgirent, d'abord en vaguelettes, puis en houle souveraine. Les manipulations de pommes achetées vendues données partagées, de poires perdues

une à une puis récupérées par trois, de trains qui perdent des voyageurs de gare en gare, ne lui posaient que peu de soucis. Les mains de Gros-Lombric circulaient sur le pupitre, se nattaient les genoux, se trituraient le ventre, sa peau frissonnait comme une antenne de sauterelle, ses yeux brillaient d'une fougue stellaire, et, au bout de cet arcane charnel, il trouvait flap la solution alors que le négrillon se demandait encore ce que pouvait bien être un train de voyageurs et à quoi ressemblait une poire. Quand le Maître lança des opérations sans le support du tableau, le phénomène Gros-Lombric fut encore plus spectaculaire. J'ajoute celle-là à celle-là, cela me fait combien, vite, vite? Puis, je retranche celle-là, allons allons vite, qui peut répondre? Puis, j'ai tout ça, j'en donne la moitié, que me reste-t-il?
— Trois, mêssié...
Le Maître crut d'abord qu'il s'agissait d'un hasard heureux, de ceux qui transforment les chenilles chafouines en papillons. Voulant renvoyer Gros-Lombric à sa place de failli, il compliqua l'affaire :
— Bien. J'ai dix fraises, j'en ajoute quatre et j'en donne sept à la chèvre de monsieur Seguin, et sur le chemin aux abords du moulin de maître Cornille j'en perds deux, que diable me reste-t-il?
Et Gros-Lombric, flap :

— Cinq !
Sautée bleue.
Le Maître demeura estébécoué. Gros-Lombric effaré de sa propre audace reprit son air charbonneux, et, comprimant la totalité de son corps, disparut à moitié dans son casier.

Même les préférés-à-belles-paroles du Maître se voyaient doublés par la mécanique qui se trouvait dans la tête de Gros-Lombric. Le Maître le regardait d'un air soupçonneux car cette excellence ne collait pas avec le reste, avec son allure-la-campagne, sa peau noire-noire-noire, ses cheveux grainés, son nez plat, son accent créole, son ignorance totale du vocabulaire français, ses retards permanents, ses sueurs, rien rien ne collait. Il prit le parti de ne pas le solliciter, et, sous prétexte de laisser parler un peu les autres *(Pas toujours les mêmes tout de même... !)*, lui imposait un silence que Gros-Lombric compensait en se livrant éperdu à son corps-à-corps silencieux. De plus, le Maître sembla de tout temps mieux sensible aux affaires du français qu'à la science vulgaire des chiffres. Il semblait n'aborder cette partie de son programme que de manière incidente. La suprématie de Gros-Lombric en la matière renforça son dégoût. *Notrre ami ne dispose visiblement pas de l'esprrit de finesse !* s'exclamait-il quand, en français, lecture, écriture, vocabulaire, il continuait à le traquer. Et à le vaincre.

Le négrillon s'aperçut assez vite que le Maître avait ses préférés. Ceux-là disposaient d'une peau claire, de cheveux fou-fous qui leur bougeaient sur le front ou qui ondulaient en lueurs et en beautés. Leur nez n'était pas aplati ou large, mais long, pointu, serré sur la longueur comme s'il devait affronter en permanence de mauvaises odeurs. Ils parlaient déjà un petit-français huilé qui leur provenait d'un séjour ailleurs ou de parents déjà en lutte ancienne avec cette langue. Ils étaient loin de ce que le Maître appelait des manières-de-vieux-nègre, manières qui en fait relevaient de la culture créole. Peau noire, traits négroïdes (qui pourtant étaient les siens) versaient pour lui, en conscience ou non, dans la même tourbe barbare que l'univers créole, et les deux s'associaient, l'un impliquant l'autre. C'est pourquoi il avait du mal à admettre les capacités de Gros-Lombric et gratifiait ses préférés d'une aptitude infuse au savoir. Pour ces derniers, le Maître perdait de sa sévérité, ne tombait pas en rage quand une bêtise leur servait de réponse. Il les reprenait avec une patience minérale car il ne s'agissait que d'une simple inattention. Quand il fallait les gronder, il n'avait jamais de mots blessants et n'appelait à la rescousse ni Durandal, ni Du Guesclin. Le Maître avait ses préférés.

C'est eux qui remplissaient les encriers, essuyaient le tableau, se précipitaient chez Monsieur le Directeur quand la craie venait à manquer ou quand il fallait ramener une carte, un compas, une loupe. C'est eux qui distribuaient les cahiers, les livres et porte-plume, et qui les ramassaient. Quand ils levaient un doigt, le Maître extasié s'écriait : *Ah non pas toi, pas toujours les mêmes,* et il se mettait à chercher du regard quel obscur crocheter. Le Maître faisait ses préférences.

Les préférés des Maîtres se ressemblaient. Ils partageaient presque la même distance que ceux-ci entretenaient vis-à-vis de nous. Ils étaient mieux habillés, leurs chaussures étaient plus fines, leurs chaussettes brodées avalaient leurs genoux. À la récréation, ils ne participaient jamais à nos batailles assoiffées autour des robinets, et tétaient des gourdes ostentatoires pleines de merveilles sucrées. Elles demeuraient accrochées à leur ceinture de cuir et suscitaient à l'entour une soif déchirante. Quand une horde de têtes-brûlées tentait de s'y désaltérer en force, les préférés pouvaient sans crainte se lover sous les ailes des Maîtres et manier les mots français pour dénoncer les tourmenteurs.

Une dénonciation en français possédait un potentiel déclencheur de représailles supérieur à la plus dramatique des plaintes créoles. De fait, un préféré de Maître n'était jamais persécuté.

Gros-Lombric, par contre, l'était encore. Sitôt la classe égaillée dans la cour de récréation, le négrillon le voyait se transformer en manicou traqué. Les tourmenteurs commençaient par s'abreuver au robinet, causaient une-deux minutes en laissant aux Maîtres le temps de s'assembler, puis flairaient leur victime et lui tombaient dessus comme un vol de moustiques. Gros-Lombric, bien entendu, demeurait le plus longtemps possible à l'abri du préau des Maîtres, mais la soif, l'envie de courir, de vivre son corps exigeant, le poussaient en terres ennemies. Les tourmenteurs, sachant cela, feignaient de l'avoir oublié, le laissaient avancer, lui coupaient alors la retraite et, dans un silence haletant, l'hallali se sonnait. Le chef-tourmenteur était une espèce de désagréable dont l'esprit, lors d'une glissée d'âge, avait échappé à toute structure morale. Dans ses yeux, on devinait des griffes et des crocs qui n'avaient pas trouvé de sortie, et surtout une faim-vampire sans rémission qui lui donnait mille ans. La récréation était pour lui un bout de jungle où foisonnait une volaille soumise à ses pulsions.

Nul n'entendait jamais parler de lui durant les heures de classe. Il ne quittait sa catalepsie qu'avec la sonnerie de la récréation. Alors, il irradiait de force. C'est lui qui crochetait les jambes de Gros-Lombric pour le faire s'étaler, c'est lui qui le pichonnait, lui filait d'imparables ziguinottes, et qui zébrait de cruauté ce qui semblait n'être qu'une poursuite de marmaille. Il y avait dans l'école deux-ou-trois scélérats de cet acabit; pas plus; chacun s'était constitué une cour de prédateurs moins féroces qu'eux, une sorte de meute avide de dominer et d'être dominée, et qui leur obéissait à fond. Ils bougeaient avec un bel ensemble d'algues sous-marines, semblaient invincibles durant la récréation, et, à la fin de celle-ci, perdaient de leur superbe sous le camouflage qui leur permettait d'être oublié du Maître durant les heures de classe. Les chefs-méchants se connaissaient intuitivement et ne se défiaient presque jamais. Quand cela se produisait, on voyait, à la sortie de l'école des bagarres mémorables qui exposaient nos imaginations au blanc de la violence.

Ce jour-là, Gros-Lombric, priez-pour-nous-seigneur, sortit en récréation avec un air bizarre. Au lieu de se réfugier sous le préau des Maîtres, il s'avança fier à travers la cour, et se mit à sauter-courir, jouer avec son corps comme le fai-

saient en insouciance les autres petites-personnes. Le négrillon n'en crut pas ses yeux. Il alla le rejoindre, et tous deux se mirent à jouer-marcher ensemble. L'attitude de Gros-Lombric était étrange, ses yeux s'éclairaient, et il tâtait souvent le fond d'une de ses poches. Il fut bien vite repéré. Le chef-tourmenteur cingla vers lui avec un déhanchement de desperado dans une affaire de duel. À mesure qu'il avançait, ses soudards le rejoignaient. Interloqués, ils constataient que Gros-Lombric poursuivait un petit jeu d'indifférence. De les voir arriver avait déjà contrarié l'ange gardien du négrillon. Déjà en sueur, il tenta d'alerter son pauvre compère. Mais Gros-Lombric qui ne semblait rien voir, rien entendre, rien comprendre, se retrouva encayé à la meute. Il fit alors mine de reculer, tenta une traverse puis, retenu-bousculé, il dégaina de sa poche une tête de serpent.
Chaleur!...
Le chef-méchant frôla une congestion. Son ancestrale férocité se dissipa sous la charge terrifiée d'une candeur enfantine. La peau de sa bouche battit sur un gémi de bébé et, détruit, il se mit à branler sur des jambes devenues élastiques. La tête de Bête-longue était grosse comme ça, desséchée sur elle-même, tordue et plus que ça. La gueule béait sur un avalement pétrifié. Elle n'avait plus de crocs mais on croyait les voir. Les tourmenteurs tombèrent sai-

sis comme mangots jaunes frappés de vent. Certains prirent le rampement des chenilles flambées. D'autres, glacés, quatre fers en l'air, demeurèrent sur place en fixant l'horreur que Gros-Lombric agitait de sa main. Il l'approchait de leur visage, les frôlait avec, les poursuivait avec. Grisé par sa domination, il ne se rendit pas compte que la cour entière fuyait maintenant devant lui, qu'il ne distinguait plus entre les tourmenteurs et les non-tourmenteurs. *Chaleur !...*

Les Maîtres alertés par l'émoi rappliquèrent, baguette dressée, et demeurèrent en panne face à la gueule qui ondulait au bout de la main ivre du petit-bougre. Certains poussèrent une damnation latine, d'autres, vraiment défaits, se retrouvèrent livrés à leur créole natal. Cette tête de bothrops tropical agissait moins comme une épouvante que comme une déflagration insane dans leur univers savant de sapins, de pommiers et de vipères d'automne. Monsieur le Directeur lui-même apparut et, nonobstant sa surprise, parvint à souffler d'une voix morte à Gros-Lombric : *Lâchez-moi cet ophidien sur-le-champ !...*

Gros-Lombric lâcha la tête. En basculant, elle suscita une onde de recul général. Monsieur Le Directeur saisit Gros-Lombric par une aile et l'emporta dans son bureau. Les écoliers et les

Maîtres se reformèrent en cercle autour de l'épouvantable tête. Les Maîtres écartaient les enfants, apaisaient les criailleries, se retournaient pour arrondir des yeux incrédules sur la chose maintenant échouée. Le gardien de l'école, qui s'était précipité dans sa loge, réapparut derrière le bouclier d'un seau avec lequel il recouvrit la tête. Du coup, il y eut dans la cour une virée de quiétude. Chacun se regardait désenchanté avec l'air ahuri des retours de cauchemars. La récréation fut comme raccourcie car la sonnerie se mit soudain à résonner.

La classe reprit en l'absence de Gros-Lombric. Le Maître, sans même donner l'ordre de s'asseoir, se lança une péroraison sur les manières créolo-nègres et l'irrémédiable perdition de ce peuple barbare. On l'écoutait à peine, car nos yeux demeuraient fascinés par la guerre solitaire que le gardien poursuivait dans la cour. Il avait enfilé de grandes bottes militaires, des gants de docker, s'était couvert le torse d'un épais tablier, s'était armé d'une pelle. Il avait pris appui sur ses jambes pliées, agrippées au sol à la manière des lutteurs de sumo, et, le torse étiré pour ne pas être trop près, avait renversé le seau. Maintenant, il poussait la tête à petits coups de pelle dégoûtée en direction du caniveau de la rue. Sa femme, frissonnante sur le palier de la loge, l'observait, admirative. Mais

Monsieur le Directeur interrompit la courageuse manœuvre et, avec autant de précautions que d'audaces, recueillit dans un bocal de formol ce nouveau trophée de sa lutte scolaire.

Trophées de Monsieur le Directeur : un chassepot, une arbalète, un minuscule cercueil, une dent de manicou, une grenade-la-guerre-quatorze, un couteau-chien, un bocal de guêpes rouges, et un nombre impossible de billes, de bandes dessinées, de photo-romans, de yoyos, cerfs-volants, scoubidous et compagnie... Répondeurs, poursuivez...

Nous revîmes Gros-Lombric le lendemain-bon-matin, en compagnie de son papa qui opéra une descente à l'école. Le papa de Gros-Lombric était son portrait en plus sec, sa manière en plus grand, son genre en plus frappé de misères. Vestimenté comme pour la messe, tenant son fils d'une main, un sac de guano de l'autre, il attendit avec une patience végétale que le rituel d'accès aux classes s'accomplisse. Il avait l'attitude cérémonieuse des visiteurs de cathédrales, il regardait autour de lui de manière furtive, tentait de conserver le regard impassible. Puis, nous le vîmes être conduit dans la classe par Monsieur le Directeur. Gros-Lombric les suivait la tête basse. Le Maître nous fit lever et salua en français accablant le papa de

Gros-Lombric qui hochait de la tête. Ce dernier déficela son gros sac de guano afin d'offrir sept pommes-cannelle à Monsieur le Directeur, et une igname-bocodji au Maître qui en avala un plaisir de salive. Puis, saisi d'une rage soudaine, assurée millénaire, le papa empoigna Gros-Lombric, extirpa de son sac une liane-ti-baume, et infligea au malheureux une volée que nous aurions à commenter pendant passé-longtemps. Le papa frappait avec la foi en dieu ; on l'eût dit en train de déchouker une racine d'herbe-diable. Disons qu'il arrachait-coupait, épluchait-dépaillait, chiquetaillait-défonçait. Disons aussi qu'il purgeait-piquait, lolait-touillait, fracassait. En des moments, il vérifiait d'un coin de paupières, auprès du Maître ou de Monsieur le Directeur, l'effet sanctifiant de son intervention, et, s'alimentant à l'ignée de leurs yeux, redoublait de fureur. Au bout d'une éternelle, il arrêta sans raison particulière. À Gros-Lombric planté devant lui, il débita en s'épongeant une intarissable menace dans un créole solennel, quasi incompréhensible, qui résonna comme un blasphème dans l'espace francisé de la classe. Monsieur le Directeur le raccompagna vers la sortie tandis que Gros-Lombric regagnait sa place de hoquet en hoquet. Le négrillon, en croisant son regard, sut que, là encore et sans doute à jamais, le petit guerrier demeurait intact au fondoc de lui-même.

Répondeurs :
À l'arrachée-coupée !...
À l'épluche-dépaillée !...
À la chiquetaille-défonce !...

À la récréation, Gros-Lombric fut l'objet d'une curiosité générale. On ne le bafouait plus mais on le lorgnait comme un cirque ambulant. Chacun s'attendait à voir débouler de ses poches une spectrale nichée de bêtes-longues, quelque mèche de mabouyas fétides, des matoutous-falaises aux poils subulés. Il passait désormais pour le gouverneur-saletés des bas-bois créoles. Cela lui conféra une immunité spéciale confite dans une aréole de silence pire à la vérité que toute persécution.

Depuis l'épisode de la tête de serpent, le chef-persécuteur avait vu s'atrophier son inquiétant prestige. On le prétendait (dans son dos) victime d'une cacarelle qui noya ses bottines. On murmurait que, durant et-cætera de jours, il dut charroyer une tremblade de commère et les yeux tracassés qu'ont les merles sous la pluie. Pas un petit n'osait lui en parler mais les autres méchants se bouchaient les narines à son approche et, à grand spectacle, cherchaient sur ses talons la traînée des terreurs. D'autres se mettaient à gémir en mimant l'apparition d'un serpent imaginaire. Sa bande semblait s'être désolidarisée de sa disgrâce. On le voyait, seul, errer auprès des robinets ou s'enfermer dans les latrines. Quand son regard tombait sur Gros-Lombric, il se ranimait. On le sentait prêt à bondir mordre déchirer, mais quelque chose le retenait — un peu ce qui nous éloignait nous-mêmes de Gros-Lombric dont plus personne n'osait présumer du contenu des poches.

Les jours passant, le chef-persécuteur se trouva un fond de cœur : il se planta sur le chemin de Gros-Lombric qui n'eut pas le temps d'éviter une calotte. Selon toute logique, Gros-Lombric aurait dû regagner le couvert protecteur du préau et de là espérer la fin de la récréation. A-a!... on le vit oui, tétanisé de désespoir, s'envoyer sur le persécuteur comme on se jetterait dans le suicide d'une flamme. Il y eut une sorte d'emmêlée de roulades, de coups sourds, de halètements grondants. La récréation se figea autour d'eux. Les petites-personnes se rassemblèrent pour psalmodier de concert les traditionnels *iii salé iii salé iii salé iii sicré iii sicré*[1] qui se devaient d'accompagner les coups. Le *iii* devait partir d'assez bas, croître dans l'inquiétude sur une ronflée de bœuf, et déboucher dans l'ovation titanesque du *saaalée.* Parfois, le

1. C'est salé, c'est salé, c'est sucré, c'est sucré! *(Traduction de l'Omniscient.)*

iii se devait d'haleter, d'hésiter, de disparaître pour revenir en force tempêter le *siiicréé!* quand un coup se portait. Monsieur le Directeur fondit sur les combattants avant les Maîtres. Il sautillait autour d'eux en se cherchant une prise. Soudain, il vit passer un bras qu'il parvint à crocheter. Puis, il immobilisa du pied une main voltigeuse. Puis, il glissa un genou dans un interstice de poitrines spasmodiques. De là, secouru par les Maîtres tombés dans l'emmêlée, il parvint à les décoller dans un bruit de succion. Monsieur le Directeur les emporta, inertes comme poissons morts. Dans les hauteurs de son bureau, on entendit claquer là-même les happées de son fouet.

Il y eut quelques récréations d'accalmie. Les deux ennemis s'observaient de loin. Le chef-tourmenteur essuyait les murs, ombreux, morose, secret, furtif, l'œil attisé de temps à autre jusqu'au rouge du piment. Gros-Lombric jouait avec son corps dans une sereine indifférence. Autour de lui, le cercle sanitaire s'était élargi. Seul le négrillon osait s'en approcher. Les Maîtres et Monsieur le Directeur surveillaient les deux ennemis de loin en montrant vieille-figure. Ils étaient si veillatifs que la récréation entière s'en voyait contrariée, nul n'osait courir vraiment, oser une brusquerie, s'envoyer-monter dans une zouelle plénière. Les élans allaient bas. Chacun s'essayait respectable sous l'œil multiplié d'une vaste conscience. Mais l'accalmie s'épuisa vite : une rumeur naquit auprès des robinets et se diffusa de milan en milan. Elle révéla que ce conflit contrarié se réglerait un jour en dehors de l'école. C'est pourquoi le négrillon, devenu expert dans le chant des *iii salé iii sicré*, se mit à guetter les sorties.

> ... Monsieur le Directeur, je vous dis qu'il a tenu l'oreille de ma marmaille et l'a halé comme une la-peau de bœuf si tant exagérément que l'oreille de la marmaille s'est moitié-arrachée oui, moitié-arrachée son oreille je vous dis oui, moitié-arrachée oui, est-ce que vous comprenez quelque chose comme ça !? il aurait pu arracher son cou pour moi oui, lui mollir la colonne véterbrale oui, aye seigneur m'envoie pas à la geôle ! on dit que l'école c'est l'école et je suis d'accord fout, l'école c'est l'école, mais une l'école n'est pas un l'abattoir vous m'entendez ? c'est un cirque alors qu'il y a ici-là ? une pète-bombe ? une bordelle ? alors je te dis comme ça, à-beau le respect que je dois à ton âge parce que tu es passé

plus grand que moi, qu'il faudrait pas mais pièce pas que ça lui arrive encore, mais pas pièce, parce que si comme tel ça lui arrive encore à supposer qu'il perde son fil, c'est moi-même Bernadette, moi-même oui avec la foi en Jésus-christ qui vais mourir sur lui oui, vous me voyez gentille-là mais en vérité pardon bon Dieu je ne suis pas très bonne...

À la sortie de l'école, les manmans récupéraient les petites-marmailles. Les Grands s'en allaient seuls en convoyant ceux dont ils avaient la charge. Quelques virgules dont la manman était en retard voltigeaient leur cartable contre le mur de l'école et menaient sarabande sur le trottoir. Le gardien, planté dans le passage clouté, régulait les voitures de richards avec des gestes de gendarme. Monsieur le Directeur, aposté à la grille, laissait s'éteindre l'agitation, englobait d'un regard circulaire l'ensemble de la rue puis regagnait son bureau ; une parole disait qu'il y restait jusqu'à dépassé-minuit ; une autre, qu'il y dormaillait sur un lit de craies rouges, parmi les cartes de France, le globe terrestre et les registres de sa fonction. Il lui arrivait, parole courante, d'y passer le dimanche à vérifier on ne sait quoi et à ventiler ses soucis le long des escaliers déserts. Les manmans l'abordaient à la grille où il leur appliquait cet œil desséchant qui contraignait les existences. C'est là qu'elles lui offraient oranges ou mandarines, petits plants fleurissants, et s'inquiétaient des à-venir de leur marmaille. Là aussi, quelque manman, enragée contre un Maître, venait criailler des comptes. Telle Maîtresse avait décollé une oreille de son fils. Tel Maître avait cogné si raide qu'une bosse levait corne à l'enfant. Tel autre avait porté mépris en accusant sa marmaille d'être noire-comme-hier-au-soir ou têbê sans pardon. Et la réclameuse gesticulait devant Monsieur le Directeur dont la figure demeurait lisse comme une feuille de chou-diable. Elle expliquait que, l'esclavage étant fini depuis nanni-nannan, personne n'était en droit de manier un cheveu de sa marmaille, excepté le Bondieu, Marie la Vierge, saint Michel (et encore!...) et elle-même une telle... Monsieur le Directeur demeurait coi devant ces lots d'acrimonie. Il savait bien que les plus enragées des manmans vénéraient l'institution scolaire. Devant lui, aucune n'exhibait de ciseaux menaçants ou la bouteille d'acide coutumière des règlements de comptes. Elles protestaient car il était dans leur nature de protester, une manière comme une autre de signaler leur vie. Monsieur le Directeur ne connut en aucun temps la fraîcheur d'une balafre, une léchée d'eau chaude — le coup de tête.

Mais le plus clair du temps, les sorties se passaient bien : ébullition joyeuse, puis écume fine dissoute au fil de la rue. Puis, silence d'avant-nuit avivant les gestes sans âme du gardien sur le loquet de la grille. Ça se passait mal quand un combat pétait. Et le plus mémorable des combats-pétés fut celui de Gros-Lombric et du chef-méchant...

Ce jour-là, par bonheur, Man Ninotte avait pris du retard. Elle avait dû régler quelque désagrément à la Sécurité sociale ou veiller l'arrivage des poissons blancs du soir sur les bords du canal. Paul, le grand frère, peu soucieux de s'embarrasser de son petit frère, avait disparu en direction de la maison. Lui, se devait de patienter devant l'école jusqu'à l'arrivée de Man Ninotte. Bien qu'il n'aimât pas attendre, il s'accommoda fort bien de ce retard car la rumeur annonçant le combat l'avait touché depuis longtemps. Doncques, il ne perdit pas des yeux le chef-méchant qui marquait Gros-Lombric. Qui le marquait à gauche, qui le serrait à droite, le barrait par-devant. Sitôt que le regard circulaire de Monsieur le Directeur s'éteignit, qu'il vira-dos en direction de sa caverne, un anneau haletant noua son impatience autour des adversaires.
Et le rituel des combats-à-mort s'enclencha.

Ce rituel, permettez, avait ses apôtres, ses acolytes, ses répondeurs, ses exciteurs, ses pousseurs-repousseurs, ses rabatteurs-de-capron, ses griots éphémères, ses compteurs-de-points-sentis, ses voyeurs-de-bobos, ses partisans-criés, ses pilleurs-d'infortune, ses plus-enragés-passé-personne, ses conseilleurs-en-saignée, ses évalueurs-de-dommages, ses donneurs-de-destins, ses pleureurs-sans-mouchoir, ses gémissants-de-sang, ses inutiles-au-fil, et le reste mal défini des innommés en langue française[1]. Cette engeance quasi spontanée voltigeait autour des belligérants selon des lois créoles immuables et tout autant sauvages. Elle électrisait l'air, opacifiait les cœurs, soulevait des profonds de vieilles ombres gluantes barbouilleuses de consciences. Elle rendait tout possible. Elle rendait tout fatal. Elle était venimeuse.

Un des apôtres trouva deux roches.

1. Permettez-moi de préciser : ses *Apiyé-konchonni, Raché-koupé-fanne-dwèt, Mouch-bobo-senti, Dékalè-pa-anba, I-sinbôt-san-manman, Labous-ou-lavi, Fini-bat-san-batèm, Misérab-dyab, Koko-boloko, Sisi-menm-pri-isi, Sousè-lan-mô, Frisi-pété-doubout, Mandibèlè-salop, Afarel-gragé-rouj, Déchirè-dan-lapèn, Koupè-kou-bouloukou, Rachè-grenn-milé, Fourè-bwa-ba-makak, Dyèp-sal, Krapolad-la-fyèv, Grafiyad-tétanos, Pisa-vyé-fanm, Grokako-anmè, Piman-cho*... et tous ceux sur l'existence desquels le grand pape du créole de l'université Antilles-Guyane ne s'est pas encore prononcé. *(Note de l'Omniscient.)*

Il en disposa une aux pieds de Gros-Lombric, l'autre devant le chef-méchant.
— Voici ta manman!... cracha ce dernier à Gros-Lombric en lui montrant la roche déposée à ses pieds.
— Voici ta manman toi-même-là!... répliqua Gros-Lombric en désignant la roche qui lui était livrée.
Et le phénomène magique se produisit.
Gros-Lombric se mit à loucher sur la pierre posée aux pieds du chef-méchant : elle était devenue sa propre manman échouée sans défense à la portée du chien-fer adverse. Ses yeux s'aiguisèrent d'inquiétude vigilante. Il la couvait du regard, tendait son corps vers elle, l'habitait. Le même processus se produisit du côté du chef-méchant : la pierre livrée aux pieds de Gros-Lombric lui fragilisa l'âme. Une rage impuissante lui gonfla le corps. Il ne la perdait plus des yeux. La regardait. Regardait Gros-Lombric. Chacun tentait de dissuader l'autre de dérespecter la manman posée à sa merci. Chacun tentait de tenir en respect l'autre par la force des yeux. Chacun tentait de communiquer à l'autre sa détermination à mourir pour la pierre devenue sa manman. Les deux auraient pu ainsi se neutraliser car l'atteinte à la manman de l'un impliquait une riposte foudroyante sur la manman de l'autre. Équilibre du malheur.

Mais l'engeance liturgique veillait aux risques d'enlisement. *Allez allez ! vous êtes caillés, et ceci, et cela... ! Prends-la !... Shoote-la !... Tue-la !...* On les poussait par-derrière en sorte que leur pied heurte la roche-manman de l'adversaire. On leur chauffait la tête. On épluchait leur haine. On invoquait des forces d'ombres. La langue créole ici devenait maîtresse-pièce : les rancœurs accumulées à l'en-bas du français l'avaient chargée de latences terribles. Interdite dans la classe, elle pouvait ici (en mots-rescapés, en mots-mutants, en mots-glissants, en mots-cassés-ouverts, en mots-désordres, en mots-rafales hallucinés...) transmuer les bons-sentiments en chimies fielleuses, casser un sanglot apeuré en hoquet de chien-fer, raidir un tremblement en épilepsie brute. Les caprons, électrisés, devenaient de désespérés fauves. Les déjà-pas-bons, plus cruels encore. Ce qu'on avait fait d'elle révélait une mâle efficience dans ces zones illicites. On y lapait comme meute à l'abreuvoir. On s'y vautrait comme horde en irruption dans un temple interdit. *Ô la langue, ici, était un univers !...*

Le chef-méchant, au bout d'un acmé de rage, shoota *biwoua !* la pierre-manman de Gros-Lombric. Ce dernier eut un cri d'égorgé : sa manman avait voltigé dans un dalot. L'assemblée eut une criée-la-joie. Flap, Gros-Lombric shoota la pierre-manman du chef-méchant. Celui-ci fut livré au spectacle de sa manman symbolique tril-buchant par on ne sait quel bord. Les adversaires étaient maintenant engoués d'une fureur divine.

Ils se jetèrent l'un sur l'autre avec des yeux blancs d'un lot de choses pas catholiques. L'engeance autour d'eux se mit à psalmodier les *Iiii saléééé*, les *Biwoua*, les *Wacha*, les *Wouap wouap wouap...*, les *Mi ta'w mi ta mwen...*, qui magnifiaient les coups. Le gardien surgit comme un cavalier de l'apocalypse. Il traversa l'engeance en manœuvrant ses bras comme des rames de yole ronde. Mais, face à l'énergie furieuse de Gros-Lombric et du chef-méchant, il n'eut qu'un haut-le-corps et demeura saisi. Sans trop savoir quoi faire, il s'essaya sur une tirade en français qui évoquait une affaire de raison. Sautillant autour de l'emmêlée, il eut recours à des cris de chien fou, puis au pin-pon-pin-pon des sirènes de pompiers. Enfin, il explosa dans la plus invraisemblable décharge d'injures créoles qui nous fut donnée d'entendre. L'engeance en fut ababa.

Gros-Lombric et le chef-méchant, toujours crochetés l'un à l'autre, demeurèrent médusés. Le gardien semblait possédé d'un paquet de zombis. Son usage du créole s'accompagnait d'une trémulation hypnotique de son ventre. Il était épanoui de fureur, comme émergé d'une de ces carapaces indéhiscentes qui pèse aux tortues lasses. Il retrouva son naturel après un tressaillement et, profitant de l'immobilisation des adversaires, les sépara sans peine. À coups de malédictions étouffées dans sa gorge, il les força à s'éloigner dans des sens opposés. Du coup, l'engeance se divisa : l'une des parties poursuivant Gros-Lombric pour son pantalon déchiré, l'autre enveloppant de moqueries le chef-méchant pour ce bleui-noir qui lui diabolisait l'œil.

Quand Man Ninotte arriva, l'affrontement s'était achevé. Les abords de l'école avaient retrouvé une quiétude que le négrillon n'avait jamais connue. Demeuré dos au mur, il n'avait pas osé se joindre aux poursuites de l'engeance. Il eut le temps de contempler l'école qui aspirait le soir. La cour vide, désensoleillée, les classes abandonnées aux échos désertiques, le préau devenu vaste, la bâtisse livrée aux rythmes d'une vie intime faite d'ombres épaissies, de craquements qui circulent, d'une posée de fraîcheur. Le gardien avait disparu dans sa loge d'où filtrait à présent l'odeur d'une morue frite qui brodait le serein. On eût dit un lieu autre.

Le négrillon l'avait remarqué : les manmans ne venaient chercher que les plus petits; les Moyens et les Grands rentraient seuls, en groupes rieurs, et se prenaient des amusements en regagnant chez eux. Ce soir-là, il informa Man Ninotte qu'il connaissait le chemin par cœur et qu'il pourrait rentrer seul comme un vaillant s'il le fallait. *Tu crois ça, han ?* lui dit faiblement Man Ninotte que cette proposition arrangeait. Ainsi, le lendemain onze heures, il effectua sa première rentrée solitaire. Il reprit le circuit utilisé par Man Ninotte. Par crainte de se perdre, il accéléra le pas, regarda droit-devant, et parvint là-même chez lui. Le soir, cinq heures, ce fut pareil, le lendemain aussi, puis l'après-lendemain. Rassuré sur la route (en fait, elle demeurait immuable et ne se déroutait pas, comme on aurait pu le croire, vers ces forêts obscures et ces loups dont Man Salinière avait peuplé son crâne), il se mit à prendre le temps de regarder autour de lui. L'En-ville du soir vivait d'une fièvre d'avant-sommeil, sorties de classe, remontées de marchandes, antiques madames et vieux-nègres revenant d'un bureau, quêtant une pharmacie ou une boutique ouverte. Les djobeurs, brouettes au vent, rejoignaient l'ultime taxi-pays qui menait une alarme de klaxon au milieu de la place Croix-Mission. Les tailleurs recevaient les gros mulâtres richards ; ces derniers essayaient des coupées de tergal devant d'étroits miroirs rouillés, sous la sanie d'un bec électrique. Les bijoutiers rangeaient (gestes d'abbé) des sculptures précieuses, de fines épingles tremblantes, d'impossibles torsades ; ils sortaient de leurs vitrines des platées de velours sur lesquelles sommeillaient les splendeurs qu'ils avaient su faire naître d'une patience. Sur les balcons fleuris, des mulâtresses exposaient au serein un reste de grâce légèrement méprisante. Leurs vieilles manmans, à leur côté, tranchaient l'élan d'une rose, disciplinaient l'arche d'un bougainvillée, arrachaient des feuilles désolées. C'était l'instant (*Ô j'ai cette tendresse !...*) des premières vapeurs de soupes-pieds, de fritures-poissons-rouges, de marinades, qui fuyaient des persiennes, ô j'ai tout cela...

> *Répondeurs :*
> Balcons fleuris
> pleurent en feuilles désolées...
> *tendresse, mi !...*

Petit à petit, le négrillon se mit à opérer des détours : telle rue plutôt qu'une autre, dériver de deux rues et rattraper la bonne, aller tout droit jusqu'à voir la jetée et revenir dans l'axe

— c'étaient autant d'audaces, autant d'ivresses ; le sentiment de se grandir en marge ; la peur domestiquée d'un inconnu facile affronté cœur en fièvre. Une secrète de fierté lui gonflait l'estomac sous le regard inquisiteur de Man Ninotte, *On dirait que ce petit bonhomme-là commence à driver dans les rues...*

Opérer un détour augmente l'épaisseur de l'En-ville. On découvre un nouveau Syrien, une échoppe où un monsieur-madame-Chine empile de la monnaie. On découvre des maisons aphones, fenêtres béantes sur l'absence de vivant. On découvre le drame d'un incendie récent dont témoignent des embrouillées de bois noirci. On découvre les bars opaques, striés par la lumière, où des nègres à petits chapeaux effondrés sur leurs yeux sirotent de calmes ivresses. On découvre, à travers les persiennes, des retraités ébaubis par le temps immobile. On découvre des trous sombres peuplés d'un cordonnier que des souliers enterrent. On découvre cet horloger devenu immortel sous des dépouilles d'horloges. On découvre les entrepôts du bord de mer qui sentent comme des tanneries, l'entassement des tonneaux et des sacs, la force noueuse des nègres suants. On découvre sur l'eau molle du canal, la remontée chimérique des pêcheurs dont les prises sont trop maigres. On découvre des personnes affairées à d'autres habitudes, d'autres paroles familières. Tout est semblable à la rue de sa maison mais tout est différent, pas les mêmes gens mais le même air, les mêmes couleurs en d'autres tons. Déjà, des façades en bois succombent sous des montées de béton et de briques. On apprend l'autre En-ville.

Le détour s'effectue en silence, retiré en toi-même, vigilant en toi-même, à l'écoute de toi-même. Opérer un détour c'est comme rentrer en soi : dans l'étrangeté plus ou moins inquiétante de l'entour, on ne dispose plus que du rempart de soi.

Ses détours ne le retardaient pas vraiment. Les choses se gâtèrent quand il découvrit, au hasard d'une errance, un lieu de perdition : la cour de l'école des filles, située un peu à l'écart, en face de la gendarmerie. Après les classes, cette cour recueillait Grands et Moyens autour des jeux de billes. Monsieur le Directeur, attentif, les voyait s'en aller en images-sages chez eux ; il ne se doutait pas qu'ils s'ancraient là en fait, sortaient des billes insoupçonnées du fond de leur cartable, traçaient dans la poussière des raies et des triangles dont la précision aurait soufflé les Maîtres, misaient de pures merveilles aux extrémités de ces triangles, et s'affrontaient pour les gagner jusqu'aux premières ombres.

L'ambiance était celle du marché-poissons à l'heure des crises de la daurade. Et dire ça n'est rien dire.

Apercevant Gros-Lombric dans ce manger-cochon, le négrillon s'en approcha. Gros-Lombric était un viseur des plus méchants. À plus d'un mètre du triangle, il fracassait les billes misées, l'une après l'autre. Ses tirs (ou ses zigues, si tu préfères) ne s'échouaient jamais dans les rainures qui faisaient perdre. Sa bille de combat était saisie entre le pouce et l'index, sans le soutien de l'autre main, et il la balançait d'un geste large, même pas visé, comme négligent, qui provoquait des *andièt sa*[1] *!* de dépit chez ses adversaires. Faut dire que les enjeux étaient de taille.

Les billes les plus convoitées étaient les cristallines, pures comme larmes de tendresse. Leur mise (a-t-on vu chose plus rare?) nourrissait l'émoi de la compétition. Une cristal, excusez, valait passé dix billes. Et, pour en gagner une, plus d'un aurait brocanté son bon ange, lâché sa croix de première communion, et, sans doute, l'amour de sa manman. Une cristal était

1. *Répondeurs :* Ils disaient aussi : *Patat siwo !... Prêl téléfon !... I sinbot !... Jésus-Marie-Joseph !... Mi fè !... La cho !... Bay an socis !... Laisse pleurer mon cœur !... Bab sèpan !...* sans compter les gémissements et les agonies sonores.

immatérielle, elle répercutait le monde en couleurs virginales ; certaines, ô gourmandes, avaient gobé des bulles d'air dans lesquelles le soleil explosait immobile. Une cristal était innocente, fragile, ingénue — et, même le pire des soubarous, des chiens semeurs-de-couillonnades, des isalopes-sans-âme, n'aurait osé l'utiliser comme bille de combat. On la conservait emmaillotée dans la poche la plus sûre, on la montrait avec douze précautions comme on dévoile le meilleur de soi-même, et ceux qui la misaient sur une pointe de triangle étaient (vanité !) certains d'être invincibles. Qui perdait une cristal allait durant trois mois, déchiré, enchien, pitoyable, envasé dans des dalots intimes. Et les Maîtres, toujours très informés, mettaient cela au compte jamais clos de la malnutrition.

En deuxième position, venaient les têtes-fer — billes d'acier extraites de roulements mécaniques, que l'on faisait briller comme des yeux de chatte noire. Celles-là étaient plus rares que rares : elles ne se vendaient pas. Il fallait, pour en avoir, flatter un mécano, fréquenter un garage ou une usine lointaine. Les têtes-fê pouvaient, selon le viseur, la puissance de son zigue, son aptitude à toucher le point magique exact, briser-froide une autre bille. Elles étaient de diamètre variable selon leur mécanisme originel. Leur valeur d'échange était incalculable car, parfaites billes de combat, elles se voyaient recherchées par les plus majors, les massacreurs, mangeurs-roches-sans-pitié-sans-manman, dont le plaisir le plus délicat était d'écrabouiller ce qu'ils avaient visé. Jouer avec une tête-fè n'était pas facile : il fallait disposer d'un pouce herculéen, d'un index de force. Et du reste scélérat.

Certaines grosses billes, criées bôlôf, offraient des cœurs de gloire, en couleurs sculpturales et liquides dont la réussite évoquait un prodige. D'autres étaient des symphonies de verts, des geysers de bleus denses, des triomphes de rouge-sang sur lesquelles le négrillon apprit à s'émouvoir. Avant de jouer, il observa l'art de Gros-Lombric, son aisance, son regard englobant l'espace conflictuel du triangle, sa masse de billes nouée dans un mouchoir, qui lui battait les flancs comme une arme de cow-boy. Il empochait rapide-rapide ses touches ; le négrillon comprit très vite pourquoi : qui avait misé une merveille et se la voyant prendre avait toujours envie de la remplacer par une désolée et de prendre-courir. La bille touchée devait être empochée en six-quatre-deux vitesses sans laisser au vaincu le temps d'une rancœur. Ou d'une vieille idée.

Dans la cour, cinq ou six triangles mobilisaient

une trentaine de Grands et de Moyens. Un parler spécial sillonnait là, avec ses codes, ses vices, ses paroles sacrales dont je n'ai plus mémoire. L'assemblée se composait de maîtres-pièces, de commandeurs, de chiens-toutous, de misérables (ces derniers, en guise de trésor, ne disposaient que des billes d'argile, ternes et pataudes que l'on criait kanik). Cette hiérarchie ne correspondait pas à celle des mérites scolaires qu'établissaient les Maîtres. Tel flamboyant face au tableau, là, dans l'affaire des triangles, se révélait couillon. Quelque sinistre ababa, désespoir vrai des Maîtres, régnait ici en commandeur de stratégies fastueuses. Gros-Lombric, par exemple, parvenait sans encombre à l'abord du triangle et, impérial, jamais ne ratait ce qu'il ne visait même pas.

Répondeurs :
J'ai dit « bille ».
En fait, on disait « mab ».
C'est ça l'ennui.

Dans l'approche du triangle, l'ennemi te marquait raide. Si sa mab touchait la tienne, tu perdais net ta mise (et ta joie de vivre). Ainsi donc : le plus court chemin n'était pas le plus clair, et le plus long ne valait pas mieux. Il te fallait transformer en alliés les roches, les graviers, les trous-fourmis, les cacas-rats, les graines-job et la poussière. Il te fallait pouvoir viser dans les pires conditions. Et ne rater jamais, ou du moins : le plus rarement possible. Mauvais stratège pouvait quand même voir sa part ; mauvais viseur, pièce chance.

D'abord : apprendre les règles avec les yeux, et ne rien demander, faire semblant de savoir toujours, et jouer sous l'aveuglage. La science des mabs doit être infuse pour s'admettre authentique.

Ensuite : oser jouer, avec des gestes d'assurance. Tu mises assuré. Tu marches assuré. Tu lances assuré. Tu t'accroupis assuré. Malheur au zigue tremblant, au regard pas très stable, aux ombres d'hésitation.

Toucher aux mabs se fait en détachement. Qui vise en appliqué, l'œil fermé, la pose studieuse, le genre trop propre, amplifie d'avance l'écho de son échec. Jouer en détachement permet d'échouer en détachement. Sois léger.

Toujours : donne l'impression de ne pas encore jouer ; paraître tester les adversaires, juste pour voir, avant de te déchaîner. En fait, ton déchaînement se fait avec ta chance, ta mab qui touche ce que tu vises, qui touche sans que tu ne saches ni pourquoi ni comment. Ton abord du triangle qui se fait à la doudou-darling. Les mabs des autres que tu commences à amasser, ta richesse qui te donne confiance, qui augmente la précision de tes zigues, leur force, leur classe. C'est ta chance, soumise à force d'assurance. *Allez va!...* Le négrillon — j'en atteste — eut des quarts d'heure de gloire.

Répondeurs :
Perds impassible.
Gagne impassible.
Cultive silence de roche
et dos-droit de bambou.
Ça bride les chiens.

Parfois, l'affrontement se bandait : la mise était sévère : bôlôf, cristal, tête-fè, sinon tu ne joues pas!... Roye, il fallait beaucoup de graines pour miser une de ces trois merveilles. Et quelques-unes encore pour ziguer sans tremblade.

Répondeurs :
Crois en ta chance
elle aime ça
mais ne lui demande rien.
Fascine-la.

Mais les bêtiseurs étaient là pour semer-du-couillon et quelque autre bacchanale. Parfois, il s'agissait d'un désespéré qui, la veille, avait tout perdu, même sa mab de combat. Alors, il revenait — défaite mal digérée — avec l'envie de porter mauvais coup. Il y avait le docteur-en-vices. Celui-là se creusait un trou dans la semelle, posait le talon sur une mab en errance, et s'en allait avec, dans l'estomac de sa chaussure. Il y avait (docteur-shoot) celui qui la poussait du pied dans un nœud de racines et qui demeurait seul à savoir son échouage, et qui fermait sa bouche malgré la quête fiévreuse et les supplications. Mille mabs de jeu ou de combat disparaissaient ainsi dans l'assemblée mouvante du fait de l'industrie soutenue des sans-mabs, habiles à empocher, habiles à serrer, habiles à tout faire disparaître en deux-trois cochonneries.

Quand un bêtiseur avait soustrait une mab, surgissaient les malentendus, les suspicions, les babillages, les menaces à l'estomac, les injures sur manman, les gros-cœur, les pleurers-chauds, les désespoirs de cirque. L'injustice se mettait à rôder, attrayante. Les condamnations sommaires aussi. La haine était sentiment bon. Au premier coup parti, les combats s'enclenchaient. Et on pleurait sur ça.

Mais le plus épouvantable c'étaient les bawoufeurs. Des espèces de bandits-la-bourse-ou-la-vie qui s'infiltraient en douce dans l'assemblée. Ils encerclaient le triangle le mieux pourvu et lançaient leurs grappins. Leur unique code d'honneur était de crier : *Bawouf!...* avant de se jeter sur les mises, de les empocher, et de s'égailler comme un vol de guêpes rouges. Leurs victimes demeuraient indécises quant à celui qu'il valait mieux poursuivre. Le cri *Bawouf!...* provoquait la plus chaude des paniques. On se jetait sur ses mabs, on les serrait bien fort, chacun gênait l'autre dans sa soif protectrice. On se brusquait. On se piétinait. On se trompait de mab. On s'asphyxiait. On se noyait sans eau. Qui n'avait pas la vessie mature s'arrosait d'une honte. Qui possédait le boyau indocile s'aspergeait de malheur. Deux-trois en profitaient pour ramasser les mabs qui n'étaient pas à eux. D'autres, ne trouvant plus les leurs, agriffaient celles des autres. On oubliait de poursuivre les bawoufeurs; il y avait toujours une bille qui restait à trouver, une cristal d'amour à rechercher, un conflit d'appartenance à démêler. Les bawoufeurs crochetaient leur butin avec une précision fendante. C'étaient des espèces de rapides, inconnus dans l'école, qui provenaient des Terres-Sainville, du Bordecanal ou de Trénelle. Ils étaient pas-bons, féroces, brise-fer. Quand l'un d'eux était rattrapé, le combat était à mort. Ils étaient souvent plus grands que nous, plus musclés, plus âgés. Après leur passage volcanique, la désolation était totale : herbe labourée, poussières volantes, triangles saccagés, pas une bille au sol. Celui-ci avait les yeux rougis en pensant à une cristal perdue. Celui-là, en fièvre, vérifiait le peu qu'il avait pu sauver. Un malheur immobile momifiait l'assemblée. Et, sur cette vie, silence.

Après un bawouf, il était difficile de reprendre les triangles. La fête s'arrêtait jusqu'au lendemain soir. Cela valait mieux car, phénomène étrange, personne ne conservait de morale. Un jeu relancé après un bawouf dégénérait toujours : on était trop nerveux, trop pointilleux, trop vigilant, et, témoin récent des œuvres de l'injustice, on se prenait comme vacciné, sitôt la moindre défaite, à la pratiquer en force, en foi, au naturel.

Parfois, l'annonce du bawouf était une rigolade. Un petit sot se l'exclamait pour le plaisir de voir sauter les cœurs. La pagaille déclenchée s'étouffait sur elle-même dans les paradoxes de la colère d'avoir eu peur nouée au plaisir insane de découvrir que ce n'était pas vrai.

Entre le cri *Bawouf !* et la misère constatée de ta ruine, il n'y avait souvent qu'une miette de seconde.

Répondeurs :
Un à-rien d'existence,
et te voilà défolmanté.

Tout ce que compte l'enfance en joie, en bonheur, en exaltation vraie, en plaisir diffus, en félicités, en euphorie, en sérénité, en extase laiteuse, en paix étale, en innocence béate, s'est vu, à un moment ou à un autre, fracassé sans reliques par la hache du bawouf. Pardonnez si j'insiste : je témoigne — malgré l'anesthésie des âges — d'une raideur. Haute.

Nous fûmes les souffrants d'une bande coutumière. Elle n'avait ni jour ni heure. Gros-Lombric avait fini par en repérer le chef. Une sorte d'albinos très rouge. Il charroyait un bidime cartable sur sa hanche, et semblait être de ces importants qui hantaient le lycée Schœlcher. Ce chien-fer sortait de loin pour semer son désordre. C'est Gros-Lombric qui mit au point l'attrape-au-bawoufeur dans lequel il tomba, et après lui bien d'autres. D'abord, messieurs et dames, pour piéger un bawoufeur, il ne fallait pas jouer vraiment. Jouer vraiment c'est se perdre dans une exaltation qui émousse la vigilance. Ensuite, il fallait que le triangle soit chargé de manière affolante, en cristal, en bôlôf, en tête-fè, en prodiges aux couleurs de gala. Il fallait attendre plus concentré qu'un

lait nestlé, plus virginal aussi, laisser aborder la bestiole, rester au plus près de ses billes afin d'être en mesure de les rafler-flap. Enfin, il fallait avoir mis à portée de sa haine quelques roches destinées aux grandes lapidations.
Et voici la foudre du piège :
leurs griffes s'étant refermées sur un rien de poussières, les bawoufeurs demeuraient échoués, lamentables parmi nous, un peu comme les princes des nuées qui hantent les tempêtes et se rient des archers : exilés sur le sol au milieu des huées, leurs ailes de rafleur les empêchent[1]...

En vérité, l'albinos perdit le chemin de la cour Perrinon. Et même aujourd'hui, quand il passe devant en compagnie de ses enfants, on peut parier qu'il regarde droit au loin, l'œil devenu vague — la larme en souvenir cuisant.

Car l'albinos tomba dans cette ambiance-attrape. Il surgit de derrière un pied-tamarin. Il longea, telle une ombre claire, les grilles de la cour. Il se fondit dans l'assemblée en prenant son habituelle mine du petit rat des champs qu'a ciselé La Fontaine. Ses sbires arrivèrent à leur tour, un à un, se dispersèrent de manière angélique, et attendirent qu'il désigne le

1. *Répondeurs :* Que Charles-Pierre me pardonne.

triangle à piller. Bien entendu, celui de Gros-Lombric fut choisi : il était chargé de splendeurs tel un pied de mandarines au mois de décembre. Quand ils hurlèrent : *Bawouf !* (qu'ils bondirent sur le triangle, qu'ils pataugèrent entre eux-mêmes tandis que — toutes mabs sauves — nous avions écarté notre corps), leur perdition s'inscrivait déjà dans le livre des destins. Ils se retrouvèrent au mitan d'un cercle de férocité mené par Gros-Lombric. Toute la cour y était. Alors — je ne devrais pas le dire — mais il y eut une belle manière de lynchage, de graines purgées, de fressure fendue, de lonba éclaté. Il y eut du napalm, de la gégène, des traites de nègres, de petits génocides, des charters, des désastres et des vagabonnageries. Je ne devrais pas le dire (il y eut plaisir bel[1]...).

En vérité, l'albinos oublia le chemin de la cour Perrinon.

Répondeurs :
Moi, pour moins que ça
je l'aurais oublié-dépassé...

Aujourd'hui, je peux gloser tranquille : le mot *Bawouf* était fondamental. Il figurait dans une loi invisible. C'était répréhensible mais pas

1. *Répondeurs :* Ce n'est pas dans le texte.

interdit. On avait simplement le droit de s'en protéger. Celui qui, par exemple, raflait des mabs sans hurler un *Bawouf* était déshonoré. Il devenait un vulgaire voleur redevable du bagne de la mise à l'écart. De par la grâce du rituel de son cri, bawoufer n'est pas voler. Bawoufer était de l'ordre du cyclone, de la déveine ou du malheur. Une fatalité intégrée au jeu de mabs ; elle avait la vertu de bouleverser des équilibres trop stables ou d'insolentes pérennités de la chance. Bawoufer était utile comme une pluie de carême, ou — selon le dire mieux sonnant du Poète — comme la charrue salubre de l'orage.

Les mabs entraînaient des rentrées tardives. *Quel fer!...* Vers six heures, noir approchant, le négrillon gravissait l'escalier de la maison avec la mine déjà défaite des bœufs à l'abattoir. Il lui fallait justifier son retard auprès de Man Ninotte. Le plus souvent, elle le guettait déjà du haut de la fenêtre. À la porte, elle l'accueillait avec son français des représailles : des *Monsieur, s'il vous plaît,* des *Vous* funestes, des *Dites donc, mon ami...* Elle avait les poings plantés aux hanches. Elle avait le regard sec des femmes sans enfants. Ses frères, ricanant, s'installaient comme au cinéma dans l'espère du spectacle de sa volée. Les premiers temps, il s'en sortit en inventant des figues : *...le Maître avait pris du retard sur une affaire de Gaulois... ; il avait fallu, en* *urgence, nettoyer le tableau...; une vieille dame de quimbois l'avait forcé à commettre un détour en essayant de lui toucher la tête... et cici... et cila...* Au début Man Ninotte faisait mine d'avaler ça. Elle lui ordonnait d'un ton aride : *Ne laisse pas ça t'arriver encore...* Mais, une fois, il s'embrouilla dans une figue pâteuse et reçut sa première volée. Dès lors, il évita le lieu de perdition durant trois ou quatre jours. Juste le temps d'oublier. Puis, il repartit à l'assaut des triangles, aspiré plus que jamais par l'enchantement des cristals, des zigues gagneurs et de l'apocalypse (en finale savoureuse) du bawouf éhonté.

Mentir à Man Ninotte n'était pas vice possible. Il fallait juste déployer un grand arroi imaginaire pour chatouiller son admiration. Voir son petit se bien débattre avec les artifices de son cerveau était plaisir pour elle : en cas de réussite, elle ne lui reprochait pièce mensonge. Finale de compte : on ne ment que quand on raconte mal.
J'ai cette tradition-là.

Répondeurs :
Je ne fréquente
ni menteurs
ni malparlants
ni batteurs de gueule.

Entre le mentir
et la piqûre d'os de gombos
je choisis la piqûre !...

Ce qui faisait pleurer dans une volée de Man Ninotte, ce n'étaient pas les coups, mais la brusque rupture d'un lien privilégié. La volée éjectait le négrillon du corps de sa manman. C'était raide, mes amis.

Les jeux d'après l'école atténuaient ses angoisses scolaires. Crucifié à son banc, l'esprit toujours en papillon, il attendait la fin de journée comme on guettait, dans les dimanches anciens, le triporteur des frozens-coco. Outre la récréation, il existait un autre temps de plaisir : la distribution du lait. Un intelligent de la DDASS décréta que les enfants du pays, gonflés de ti-nains-morue, poyos, dachines-huile, mangots verts, souffraient de malnutrition. Cette carence se situait, selon l'expert, à l'origine du cabrouet des échecs scolaires, des ensommeillements tenaces, de la croûte créole qui raidissait nos entendements. Le négrillon (pourtant bien nourri en poissons-légumes-poules-toloman et autres astuces de Man Ninotte), une fois noué à son banc, dans la béatitude franco-universelle du Maître, s'éteignait comme une bougie de cimetière, l'œil chagrin, le dos tombé, la figure affadie. En fait, à l'instar de ses congénères, il semblait mal nourri. La parade fut le lait.

Une après-midi, on vit surgir la voiture de lait; on vit débarquer des bonbonnes de fer-blanc; on vit, sous l'orchestration de Monsieur le Directeur, le gardien installer un comptoir de tables. Les classes y furent convoyées l'une après l'autre. Quand ce fut le tour de celle du négrillon, la perplexité restait totale. Il fallait, en files droites, s'approcher du comptoir. On y recevait une énorme timbale remplie d'un lait très chaud. On s'éloignait avec dans la cour, et, sous haute surveillance, on entreprenait de l'aspirer à petites doses jusqu'à la dernière goutte; la marmaille, en fête, ne s'en faisait pas prier. Une fois par semaine donc, le lundi peut-être, nous recevions notre ration salvatrice, et l'après-midi se voyait compromise par ces allées-virées qui perturbaient l'école. Ce n'était pas le lait épais, crémeux, que Man Ninotte recevait d'une marchande des hauteurs, mais une chimie laiteuse dont l'arrière-goût s'en allait en dérive. Les jours du lait, le Maître abandonnait l'idée d'enseignement. Il en profitait pour siroter ce lait avec autant de plaisir que s'il avait tété à l'une des mamelles civilisatrices du progrès. Les Maîtres d'ailleurs dissertaient sur ce lait universel qui nous provenait de France en concentré-nestlé et en poudre moderne.

Le mot France était magique. Il répartissait entre l'enfer et le paradis. Il y avait la farine-france, l'oignon-france, la pomme-france, les Blancs-france... Ce qui ne disposait pas de ce blanc-seing accolé à son être sombrait dans la géhenne du local. Maintenant on ne le dit plus : nous n'érigeons plus en nous de quoi fonder un distinguo.

Quitter la classe pour boire du lait restait de toute manière une douceur. Mais les imaginations perverses se mirent à la contaminer. On versait dans le lait — paraît-il — des anolis vivants, inattendue médecine contre l'asthme. Il se trouva plus d'un témoin halluciné attestant avoir cueilli dans sa timbale de rares chenilles poilues destinées à soigner l'intelligence des négrillons débiles. D'autres juraient sur des œufs de crapauds ladres. Le lait d'après-midi se mua en réceptacle des épouvantes créoles : sueur-molocoye, poil-bambou, caca-z'oreille-de-mulet-mâle, plumes de poules noires frisées... L'infinie profusion des matières maléfiques utilisées par les quimboiseurs, et dont les enfants soupçonnaient l'existence, se mit à grouiller dans le lait de la manultrition. *Ô panique silencieuse !...* Personne n'osa s'en plaindre aux Maîtres. Si chacun feignait de ne pas y croire, l'affaire du lait — vrai plaisir au départ — dégénéra en cauchemar soupçonneux. On scrutait le liquide. On le laissait poser en supputant l'émergence d'une horreur. On secouait la timbale. On appliquait dessus des prières secrètes et des gestes-sorciers. Malgré ces prendre-garde, chacun avait du mal à y porter la lèvre. Juste avant d'avaler, on s'immobilisait dans la crainte de sentir sur sa langue la fuite ardente d'un anoli. Et, quand on avait avalé, en proie à une déprime diffuse, le foie nauséeux, on se sentait sur l'estomac la pesanteur vivante d'une possession.

Problème : comment, incognito, se débarrasser de son lait? À part deux-trois cocofiolos qui auraient avalé même des roches de chemin, la marmaille, timbale à bout de bras, se mit à rôder au bord des robinets, à s'enfermer dans les cabinets, à se pencher l'air détaché au-dessus des caniveaux. Les Maîtres et Monsieur le Directeur (qui dissertaient sur les opérations avec le sentiment ivre d'amender nos humanités) ne se rendirent jamais compte à quel point les canaux des abords de l'école charriaient à flots le lait de nos angoisses. Et, sans mentir, au grand large du pays, dans la mer Caraïbe, les voiliers de pirates devaient frémir de ces écumes laiteuses qui annonçaient nos rives.

Répondeurs :
Me casser

la cheville
sur un
os-fruit-à-pain
plutôt
qu'un seul mentir!...

L'autre interruption — bienvenue avant qu'on en sache le tracas — était la visite médicale. On se retrouvait dans la cour, buste nu, pieds nus, le pantalon déboutonné prêt à être descendu, en file d'attente devant un habitacle transformé en infirmerie. Là, un docteur menait une enquête ennuyée sur nos scolioses, nos myopies, nos caries, nos appendicites cachées, et — *merde-aux-petites-tortues-maigres!...* — nous baissait le pantalon pour tâter les silencieux ravages d'une hernie gobeuse de graines ou, pire, d'un phimosis étrangleur de coco. Là, ce fut tomber au feu : *montrer son coco!* Le négrillon, sans même en avoir conscience, serrait cette partie de lui-même. Lui qui, au fil des premiers âges, l'avait exhibé aux quatre vents malgré la réprobation unanime, s'était à mesure-à mesure verrouillé sur cette honte naturelle. Maintenant, il évitait de le montrer à quiconque. Seule Man Ninotte, quand elle le coinçait pour les décrassages du dimanche, l'entr'apercevait encore. Et là, devant un docteur inconnu — ou, parfois, pire, devant une madame-docteur — il fallait s'exposer. À mesure que l'infirmerie aspirait la file, les rires des premiers rangs se raréfiaient, des toux de gorges sèches se mettaient à fleurir. Plus personne n'était gueule-forte. Montrer son coco renvoyait tout le monde aux fragilités invincibles de l'enfance.

Le mot Docteur, mué en Doktè, nous servit à désigner une science suprême. Dans notre engeance, on en trouvait d'espèces variées : Doktè-mab, Doktè-coups, Doktè-sommeil, Doktè-z'attrapes, Doktè-paroles, Doktè-boutons, Doktè-z'os, Doktè-capron... et le paradoxe vertigineux du Doktè-couillon.

La visite médicale provoquait des misères dans la file. Il fallait se déchausser ; or enlever ses chaussures libérait souvent des orteils aux relents de caveau profané — aubaine des persécutions. Tel à beaux-airs souffrait dessous le pantalon d'une culotte de bébé, ou pire, d'un slip abandonné aux avalanches par des élastiques mols. Celui-là, buste nu, révélait des champs de boutons qui l'exilaient sans appel chez les pestiférés. Celui-ci, buste nu, exposait aux effrois le décompte de ses os, ou, tel autre, les générosités risibles de sa graisse. Retrouver l'abri de ses vêtements — simplement ça — rendait content-content.

Le dur était la piqûre. *Oh! l'éther...!* Une vieille rumeur l'annonçait mais on la rangeait dans les baboules légendaires. Une méchanceté savante en donnait le détail, mais elle n'atteignait pas les rives du possible. Des anciens combattants qui en avaient été victimes la décrivaient au négrillon en termes obituaires... Il te fait entrer. Occupé à caresser une grosse seringue. Ne prend même pas ta hauteur. Se met à badiner avec une grosse aiguille, bidime comme une barre-à-mine, longue comme un filao. Enclenche son aiguille. Aspire un poison dedans, se met à grigner pour toi, te fait tourner le dos, te mettre droit. Toi, tu commences à mourir. Ton pipi à bouillir. Ton boyau à chauffer cacarelle. Derrière, il prend son petit temps. Sirote la tremblade de tes épaules. Te dit : relâche le dos, ne te crispe pas. Attend encore pour bien te tuer. *Oh! l'éther...!* parfum de ce malheur... Te frotte avec. C'est glacé, pas comme la glace, comme marbre-tombeau. Ça te saisit. Tu es déjà mort, c'est mourir que tu veux mourir. Et puis soudain Blo!... Tchouk!... Psssstt... : il te plante son aiguille dans l'os le plus gentil de ton dos en gloussant de gaieté. Et quand il pousse, tu as fini de battre... *Oh! l'éther...!* fragrance de ce malheur...

Dans la file nous percevions des cris étouffés. Nous voyions sortir de l'infirmerie des minuscules qui ne savaient plus comment barrer une larme. D'autres en jaillissaient avec l'œil rouge des damnés, la figure en patate blême. La rumeur disait que parfois l'aiguille ressortait par devant. Que parfois, elle se cassait, vibrante. Que parfois — plantée dans l'os — la femme-médecin ne savait pas comment l'extraire, et qu'on avait vu ainsi disparaître, dans les oubliettes de l'infirmerie, un lot d'écoliers aux os coinceurs d'aiguilles. La classe elle-même devint plus doulce que cette interruption.

Les relents de l'éther flottaient loin, tentacules renifleurs, avides de chair vivante. Comment savoir, alors, qu'ils traverseraient les âges, pour conserver intacte cette aptitude à précipiter le négrillon dans le tracas d'une file d'attente devant une infirmerie ?

Répondeurs :
Oh, baille-nous le chant des odeurs !...

En convoquant dans ton esprit l'odeur de l'éther, tu dénicheras l'émotion qui imprégnera tes mots. L'émotion de l'éther est sourde ; c'est une angoisse. Pour l'allégresse, convoque l'arôme de l'hibiscus ou celle du café grillé des dimanches après-midi. Il y a l'odeur de la javel, celle des peintures du nouvel an... Celle du camphre est maladie... As-tu souvenir de la mélancolie songeuse de l'odeur du vétiver? Ô bazar d'émotions toujours justes, affectées dociles aux espaces vides de l'écriture à faire.

Répondeurs :
L'oubli
parfois
fait souvenir
C'est émotion
pile-exacte
c'est sensation
Intacte

L'oubli
parfois
fait mélancolie douce
C'est mémoire
hors mémoire

L'oubli
parfois
fait oubli
C'est seuil de souvenir
à l'orée
de l'absence

Mémoire
tu te façonnes
à petites touches
d'oublis

et
chaque oubli
consolide ce qui reste...

La piqûre autorisait des maladies stratégiques. Certains regagnaient la classe en succombant sous le poids d'une épaule raide. Certains, paralysés d'une moitié du corps, se rendaient imperméables au monde comme des empereurs trahis. Certains transformaient le pupitre en oreiller, abandonnant le Maître à ses enseignements. Certains, devenus allergiques à l'école, gémissaient qu'on appelle leur manman au chevet d'une agonie tactique. Certains disparaissaient durant près d'une semaine : leur manman témoignait d'un chagrin qui les brisait au lit. Les vaccins aussi autorisaient des fuites semblables. On se retrouvait avec l'épaule gratteuse, et il fallait gratter. Au bout d'une fièvre transformée en spectacle, on développait de gros bobos suintants dont les stigmates se voient encore, et qui autorisaient l'élu à venir ou à ne pas venir, à venir puis à repartir, finale, le temps d'une croûte cicatrisante, à ne plus être soumis aux captivités scolaires. Le négrillon prolongea chaque piqûre, chaque vaccin, en syndromes infinis.

— On ne dit pas : *Je parle pour mon corps*, on dit : *Je me parle à moi-même.*

Mais le Maître n'avait pas fini de poursuivre Gros-Lombric. Ce dernier avait frôlé la mort à la suite d'un vaccin. Son papa et sa manman étaient venus expliquer à Monsieur le Directeur que le vaccin lui avait développé une faiblesse inconnue : elle amplifiait sitôt qu'on évoquait l'école. Monsieur le Directeur (préoccupé par les ignames qu'ils lui avaient apportées et peu soucieux des aléas de la science médicale) leur conseilla de le garder. L'absence de Gros-Lombric gêna le Maître. Il ne savait plus sur qui abattre la foudre de son hymne au savoir. Son français perdit de son éclat. Quand Gros-Lombric réapparut, il retrouva du ballant. L'évitant comme d'habitude sur les affaires de calcul, il le traqua sur la question de la lecture.

Le négrillon aimait entendre le Maître leur lire de petits poèmes magiques ou des textes choisis de George Sand, d'Alphonse Daudet, de Saint-Exupéry... À toute lecture, le Maître buvait un fin sirop. Il prenait plaisir à sucer lettre après lettre le français déployé sur des scènes bucoliques. Dévoué au concert des syllabes, il les détachait de manière emphatique, les rythmait selon une loi intime. Sa voix se creusait aux virgules. Sur les points, elle s'immobilisait tandis que son regard sévère nous contrôlait. Il faisait du point-virgule une culbute de silence. Le point d'exclamation aspirait, pour les rompre, des gonflades de sa voix. Une mise entre parenthèses le déplaçait de deux pas sur la gauche, en retrait, avec le ton des apartés. Les dialogues lui autorisaient, entre les pincettes de ses dents, des accents familiers ; alors, argile protéiforme, brisant une gangue invisible, il se transformait en paysan provençal, en meunier solitaire, en chevalier de la Table ronde. Paragraphe achevé, il baissait la paupière pour suivre en lui-même le cheminement religieux de ce qu'il venait de lire.

Le Maître lisait pour nous mais, très vite emporté, il oubliait le monde et vivait son texte dans un abandon mêlé à de la vigilance. Abandon car il se livrait à l'auteur ; vigilance, car un vieux contrôleur demeurait à l'affût en lui-même, guettant l'euphonie désolée, l'idée amollie par une faiblesse du verbe. Alors, une révolte intérieure lui remuait un sourcil. Il trouvait matière à réprobation chez Hugo, ou chez Lamartine. La Fontaine et Chateaubriand, par contre, le maintenaient en extase. Ce plaisir de lire à haute voix, il nous le communiquait en fait sans le vouloir. Le négrillon suivait bouche bée, non pas le texte, mais les goulées de plaisir que le Maître s'envoyait par les mots.

Au suivant !... Lire à notre tour était un souci.

Identifier les mots, soutenir les liaisons, reconnaître les syllabes, communier au mystère des *e* muets, pratiquer la gymnastique des *h* aspirés... : autant d'épreuves nouées à la disgrâce infligée de nos accents créoles. *Au suivant!...* Le bout-de-langue du négrillon amplifiait son malheur. Dans sa bouche ânonnante, les consonnes dures devenaient molles. Certaines voyelles faisaient bouillie. Points, virgules et compagnie, s'envasaient dans le rythme incohérent d'un déchiffrage qui demeurait obscur. Des railleries, à peine réprimées par le Maître, empoisonnaient ses tours de lecture. *Au suivant!...* En fait, tout le monde faisait la fête avec tout le monde : celui-là tenait misère de son accent créole, celui-ci des tremblades de sa voix, un tel des asphyxies d'un bégaiement, tel autre d'une inaptitude congénitale à la lecture. *Au suivant!...* Les petits-revenus-de-France par contre brillaient en la matière : ils ne comprenaient pas plus, ânonnaient tout autant, mais, pour le Maître, par leur articulation juste, par leur accent souverain, par leur grâce de n'être pas comme nous, par leur insoumission à leur propre nature, ils étaient déjà d'essence universelle. *Au suivant!...*

— On ne dit pas : *se procurer des désagréments...* On dit : *s'attirer des ennuis...*

Les textes de lecture parlaient de fermes, d'oies, de violons d'automne, de sabots, de lièvres, de cheminées, d'écureuils... Les revenus-de-France faisaient mine de savoir; mais les autres petites-personnes découvraient ces étrangetés du fond d'un ravissement perplexe. Les déchiffrages laborieux des uns et des autres laissaient à chacun loisir de gober les vols de rêves qui traversaient la classe. Songes, visions, chimères, ameutés par le bruitage de ces lectures magiques, se mettaient à nicher parmi nous. Ils transportaient des mers, des rivages, des goûts de proies vivantes. Ils délivraient des augures. Ils dénouaient des présages. Ils nous happaient du bec et des serres. Et nous les avalions, ivres, immobiles. Le négrillon, une fois sa lecture effectuée, s'envolait comme bien d'autres dans ce monde nébuleux dont il ne ramenait qu'une lèvre ababa. *Au suivant!...* Beaucoup se voyaient surpris par l'arrivée de leur tour. Le Maître devait les décrocher de haut. Ils basculaient du rêve pour s'écraser, hagards, contre le livre ouvert, incapables de poursuivre.

Le Maître traquait les songes. Il les sentait passer. Il les sentait planer au-dessus de nos têtes. Il devinait leur présence silencieuse dans les tiroirs, les encriers, le dessous des pupitres. Il subodorait qui en était possédé, qui était en train d'y glisser lentement, qui s'y était noyé. Alors, il hélait. Les songes prenaient l'envol.

Souvent, il modifiait l'ordre de la lecture dans le seul plaisir de dépendre un songeur.

Répondeurs :
Ho, dépendre un songeur...
Plaisir bel...

Parfois, le Maître tentait de confronter la lecture à notre réalité. C'est ainsi qu'un jour, il tomba sur Gros-Lombric.
— Alors, nous avons vu que Petit-Pierre, les soirs d'hiver à la ferme, aime bien se glisser entre les draps chauds de son lit douillet. Est-ce le cas pour vous, mon ami ? Avez-vous souvenir d'une circonstance qui vous rendit votre lit agréable ?
Il lui demanda, à l'instar de Petit-Pierre, de décrire sa maison, son lieu de travail, la lumière de sa chambre, son moyen de locomotion pour venir à l'école. Il y eut de vastes éclats de fête à mesure que Gros-Lombric, sous l'insistance du Maître qui n'en revenait pas, dévoilait les réalités de sa vie. En guise de lit (appeler ça *kabanne*), il disposait d'une paillasse d'herbes sèches que l'on ouvrait chaque soir, dans l'unique pièce de la case, aux côtés de celles de ses dix frères et sœurs. Ses parents dormaient au

même endroit, à l'abri d'un rideau de toile cirée, sur un indéfinissable lit à pattes. Le jour, les paillasses étaient roulées dans un coin ou exposées aux embellies à cause des pisses nocturnes. Pas de draps car la chaleur pesait; parfois, quand le serein de décembre menaçait les poitrines, il se couvrait d'un carreau de madras. Le soir, chacun, renfrogné là où il pouvait, s'efforçait, pour son travail scolaire, à capter la lueur débile d'une lampe-pétrole qui enfumait la case. Le matin avant de venir, Gros-Lombric devait charroyer et-caetera-seaux-d'eau, abreuver des cabris, mettre un bœuf au piquet sur une pièce d'herbes, rafler quelques lianes à lapins, et courir vers l'école durant deux ou trois kilomètres. Pour disposer du temps d'accomplir ces tâches, il devait ouvrir ses yeux avant les chants du coq et battre de vitesse l'oiseau-pipiri.
Nous en rîmes.
Gras.
Épais.
Le Maître, lui, en fut atterré. Son univers de fermes idylliques, de moulins, de bergers, de féeries d'automne auprès des mares musicales, achoppait ici-là. L'ancienne barbarie des champs de cannes-à-sucre... l'indigence des cases... la nuit de la négraille créole semblait avoir traversé les temps, et s'être amassée aux portes de l'En-ville. Dès ce jour, il ne tenta plus

d'évaluer les lectures et demeura lové dans les hauteurs de ses merveilles. Nous le vîmes plus indulgent sur les absences de Gros-Lombric, ses envies de sommeil, ses raideurs de tête. Il crut compatissant de l'abandonner à son sort, ne l'interrogeant plus, ne le sollicitant plus, le précipitant dans l'oubliette à laquelle nous rêvions tous.

Aux yeux de Gros-Lombric, le Petit-Pierre des lectures faisait figure d'extraterrestre. Mais pour lui, comme pour la plupart d'entre nous, à mesure des lectures sacralisées, c'est Petit-Pierre qui devenait normal. Où sont mes Répondeurs ?

Songer au premier livre. Ses lettres en gras, détachées. Ses illustrations à chaque page qui emplissaient notre tête d'un monde bien loin du nôtre. Ses forêts. Ses animaux. Ses saisons. Ses hiérarchies de couleurs qui attribuaient celle de notre peau au laid, au méchant, au sinistre. *Ô ce vertige, mi !* Tête perdue, le négrillon s'était engouffré plus d'une fois dans chacune de ces illustrations. Il avait porté des sabots, coupé du foin, glané du bois mort, ramassé du blé, il avait sué aux vendanges, foulé des bailles de raisins. Il avait, dans les étendues désolées de la neige, chanté l'inaltérable verdure d'un beau sapin. Il avait, dans l'accumulation virginale de la neige, modelé des bonshommes au cœur froid. Il avait cueilli la violette et respiré le romarin nouveau. Il avait, en des temps de blonde enfance, rouge aux joues et yeux bleus, couru dans le printemps des prés. Pour saluer l'an nouveau, il avait chanté : *« Bonne année à toutes les roses que l'hiver prépare en secret... »* Souvent, au bord de mer, il croyait voir la France tout-près, tout-près même, ô près-près-près dans l'ombre bleue qui troublait l'horizon.

Sa tête s'emplit du monde des images. Son esprit, puissant au rêve, expert en la dérive, amplificateur du moindre brin de réalité, se mit à battre cet univers qui devenait la réalité. Il dessinait avec. Rêvait avec. Pensait avec. Mentait avec. Imaginait avec. S'effrayait avec. Son corps, lui, allait en dérive dans son monde créole éloché inutile. Son corps s'était mis en retrait (navré comme une batture hors la marée) dans un réel qui ne nourrissait plus les ivresses de sa tête.

L'ardoise devint un compère de plaisir et douleur. Le Maître posait une énigme, et l'on se retrouvait accroché à sa craie, rivé à son ardoise, cherchant la solution, les yeux fureteurs sur les ardoises des alentours. On se courbait sur la sienne. On l'entourait de ses bras et on la couvrait de son corps, autant pour protéger une bonne réponse qu'en vue de dissimuler une possible bêtise. Puis l'attente : chaque cœur battait la réussite envisagée ; chaque cœur battait aussi la probabilité plus élevée de l'échec. Le signal du Maître provoquait un mouvement militaire qui suspendait son fracas dans un silence tendu. Et, dans la touffe des ardoises brandies, le Maître s'ébranlait. Redoutable. Examinant chaque ardoise. Décernant ses bons points. Appliquant ses railleries. Infligeant ses sentences.

Il y a ce plaisir de la bonne réponse. Cette doucine de l'ardoise juste. Le Maître n'effectuait pas de grandes démonstrations ; il disait juste : *Bien, mon ami.* Et ça suffisait. Ça remplissait. L'envie de la bonne réponse taraudait parfois le négrillon. Il s'engageait. Il s'efforçait, s'enthousiasmait sur l'anticipation du *Bien, mon ami.* Parfois, il réprimait ce désir de bien répondre : une mauvaise idée l'emportait, et il s'enfermait en lui-même, tête-raide, rebelle, arqué bestial dans une résistance obscure. L'ardoise fausse devenait l'étendard de sa rage.

Entre la bonne et la mauvaise, surgissait l'ardoise vierge. Elle provenait d'un nœud de l'esprit, d'un enlisement de la craie. On émergeait d'une absence, démuni comme un manikou quand les corossols n'ont pas encore mûri. L'ordre de lever l'ardoise éclatait trop vite.

Conditionné, on hissait au-dessus de son anéantissement une ardoise vide. Celle-là était la plus lourde de toutes.

Une ardoise vide mettait le Maître en verve. *Confirmation mathématique : le zéro ne peut produire que du zéro. Jeune maraud, votre nullité est parfaitement exacte.* Parfois, il s'arrêtait devant l'ardoise, feignait de lire attentivement, hochait la tête de manière admirative, puis portait l'estocade doucereuse dans un silence général : *Auriez-vous l'obligeance, vandale, de me répéter à haute voix la réponse que vous nous proposez ?*

Le Maître n'avait pas de reconnaissance. Un *Bien mon ami...* ne garantissait d'aucune bénédiction à effet prolongé. Dès l'ardoise suivante, on pouvait déchoir : *Regardez-moi ce que répond cet animal !* Ou : *Voyez les œuvres de ce sinistre ?!* Ou encore : *Oh, citoyen, vous arrive-t-il de m'écouter parfois ?* Ou pire : *Holà, vous vous trompez d'heure et d'endroit : ce n'est pas le championnat des ânes bâtés et ce n'est pas l'heure de braire...*

On allait à l'école pour perdre de mauvaises mœurs : mœurs d'énergumène, mœurs nègres ou mœurs créoles — c'étaient les mêmes.

Le Maître, de temps en temps, s'écriait comme Jules Monnerot : *« France toujours, France tout court!* » Ô pays de Vercingétorix, de Jeanne d'Arc, de Clemenceau, vieux foyer de civilisation latine qui nous forgea Malherbe, Racine, Hugo. Ô grande amie du progrès qui s'honore de Pascal, de Berthelot, de Pasteur, patrie de l'art et du goût, douce terre des libertés de 1789, berceau du grand et noble Schœlcher!... Le Maître pour lui-même s'écriait.

Le souffle vibrant du savoir et notre être créole semblaient en indépassable contradiction. Le Maître devait nous affronter mais aussi affronter le pays tout entier. Il se vivait en mission de civilisation. Un peu comme ces missionnaires enfoncés dans des contrées sauvages. Jour après jour, de point d'eau en point d'eau, sans une once de plaisir, ces inventeurs d'âmes devaient continuer d'avancer. L'effort était terrible, hors de portée du plus puissant des animaux. Comme il devait, à chaque seconde parmi nous, avancer dans la fange, chacun de ses mots, de ses gestes, chaque injonction, chaque murmure, était bardé d'Universel. L'Universel était un bouclier, un désinfectant, une religion, un espoir, un acte de poésie suprême. L'Universel était un ordre.

En ce temps-là, le Gaulois aux yeux bleus, à la chevelure blonde comme les blés, était l'ancêtre de tout le monde. En ce temps-là, les Européens étaient les fondateurs de l'Histoire. Le monde, proie initiale des ténèbres, commençait avec eux. Nos îles avaient été là, dans un brouillard d'inexistence, traversée par de vagues fantômes caraïbes ou arawaks, eux-mêmes pris dans l'obscurité d'une non-histoire cannibale. Et, avec l'arrivée des colons, la lumière fut. La Civilisation. L'Histoire. L'humanisation du grouillement de la Terre. Ils ployaient les épaules sous le lourd fardeau de ce monde qu'ils élargissaient aux cimes de la conscience. Il nous fallait produire d'opiniâtres efforts afin de ne pas les abandonner aux solitudes de cette charge. Le Maître voulait, lui aussi, porter le monde.

Christophe Colomb avait découvert l'Amérique, et aspiré au monde des millions de ces sauvages, qui durant une nuit immémoriale, soustraits à l'humanité, l'avaient attendu.

— Savez-vous, ostrogoths, qu'ils portèrent au Nouveau Monde le fer, la roue, le bœuf, le porc, les chevaux, le blé, le seigle, l'indigo, la canne-à-sucre... ?

— Les races supérieures, il faut le dire ouvertement à l'instar de Jules Ferry, ont, vis-à-vis des races primitives, le droit et le devoir de ci-vi-li-sation !...

Le négrillon aimait entendre le Maître leur conter l'Histoire du monde. Tout semblait simple et juste. Tout convergeait vers un progrès inéluctable. Ses envols au rêve s'apaisaient alors, et il oyait ce conte fabuleux à partir duquel le Maître avait bâti son enseignement. Souvent, ce chant de l'Histoire basculait le négrillon dans les événements de ses films-cinéma : les Amérindiens de Buffalo Bill, les Zoulous de Tarzan, les Chinois de Marco Polo, les Maures piégeant d'augustes chevaliers... ces sauvages développaient une brutalité sanguinaire. Ils illustraient l'ombre confrontée à la lumière. La folie hurlante s'opposant aux progressions civilisatrices.

Répondeurs :
L'Universel était un ordre !...

Le pupitre était fait d'un bois tendre, noirci par les âges, et docile aux pointes. On pouvait y graver son nom, des mots, des dessins, la géométrie d'un sentiment ineffable. À la pointe d'un compas. À la pointe d'une épingle. Du bout d'une plume cassée. C'était la peau de tatouage des rêveries, des absences, des sidérations muettes qui imprimaient aux mains l'activité fouisseuse de graveurs hébétés.

Répondeurs :
L'Universel était un ordre!...

Cette difficile tâche de civilisation affaiblissait le Maître sans que nous le remarquions. Un jour, on le vit tousser. Un autre jour, on le vit arriver aphone d'on ne sait quelle misère de gorge. Puis, il disparut durant deux jours. *La chaux!...* Ce fut Monsieur le Directeur en personne qui vint tenir la classe. Monsieur le Directeur, c'était le Maître multiplié par dix. Plus méchant, plus traqueur de mauvais genre, plus à l'aise dans le bain de notre mutisme. Il allait au tableau et dissertait en face de notre silence spectral : c'était pour lui la bonne conjoncture pour transmettre le Savoir. Le peu que nous avions appris depuis le jour de la rentrée le consternait : *Vous n'avez pas entendu parler de ceci ? Vous ne connaissez pas cela ? Diable...* Il accueillit le Maître à son retour de maladie par une longue conversation dans son bureau, qui nous offrit une demi-matinée de vacances. Qui nous infligea aussi, en contre-coup, associé au regain de santé du Maître, un redoublement de sa férocité.

De savoir que le Maître avait été malade nous permit de le comprendre accessible aux maux de l'humanité. Jusqu'alors, il nous était apparu indestructible, voguant immatériel sur les cimes du Savoir. La question de sa vulnérabilité se propagea dans la cour. Chacun se posa la question et chacun la résolut. Il fut, à l'unanime, décidé de tuer le Maître (Ah, l'enfance ne joue pas, non!...)

Répondeurs :
Raide!...
Cassez ça!...

Gros-Lombric, maître-pièce en magie créole, nous confia la manière : *Il fallait l'amarrer.* Amarrer une personne c'était nouer son énergie vitale et la livrer fragile aux boutoirs des faiblesses. Quand une personne se trouvait amarrée, toutes les misères de passage se déversaient sur elle : un gros-pied cherchant une compagnie, c'était sur elle

Répondeurs :
Une glissade briseuse d'os?
Sur elle.
Un malcadi?
Sur elle.
Une congestion?
Sur elle.
Un java?
Sur elle.
Une pleurésie?
Sur elle.
Un mal-tête? Une chique? Une la-fièvre?...
Sur elle!... sur elle!... sur elle!...

En un moment, la personne se retrouvait plus dilacérée qu'une feuille-banane sous le rasoir d'un vent. Le secret de l'amarrage nous avait été transmis par Gros-Lombric au bout d'un rituel pas facile. À l'heure de la récréation, chacun fut invité à sortir de la classe en marchant du pied droit ; un tel qui avait abordé la cour du pied gauche se vit éliminé. Il fallut ensuite trouver une encoignure où la parole dite n'avait pas tendance à monter ou à descendre, ni à s'étirer vers des oreilles-en-affaires. Gros-Lombric s'adossa au mur, dans un coin des cabinets, et commença son initiation avec un signe-la-croix rendu incompréhensible par sa rapidité. Nous dûmes lui répondre de la même manière. La Révélation nous fut portée dans un murmure aux couleurs blanches accompagné de quelques grognements qui rappelait le latin de messe. Les yeux exorbités de Gros-Lombric s'emplirent d'un âge ancien. Mains croisées, il nous serra les bras à tour de rôle, avec une force insoutenable. La connaissance se mit à peser dans nos têtes, et nous demeurâmes silencieux et vieillis, tandis que Gros-Lombric, restitué à son enfance, s'en allait gambadant.

Le négrillon s'était promis de ne jamais révéler un secret aussi méchant. Cette connaissance intransmissible le poussa en vanité : un pas lourd, une paupière chargée, une voix plus caverneuse, des gestes lents. Man Ninotte, peu informée des effets de la Connaissance, le crut victime d'une poussée des vers et lui infligea de méchantes purges : des loochs d'herbe-à-vers malodorantes mêlées à l'infamie de l'huile de ricin. L'initié, rivé à son pot de chambre, ne parvint à conserver qu'un ramas de solennité.

Pour amarrer un Maître (ce n'est pas moi qui vous le dis), il fallait se croiser index et majeurs, les garder serrés comme ça au fond de sa poche, se positionner sur le pied gauche, et, devant l'école, murmurer à l'infini avant qu'il n'apparaisse : *Trois chiens trois chattes amarrez le Maître... Trois chiens trois chattes amarrez le Maître... Trois chiens trois chattes amarrez le Maître...* (Ce n'est pas moi qui vous l'ai dit...)

Ce murmure devait résonner comme un ordre donné au monde. Il devait se nouer à toute la résolution dont on était capable, et irradier comme une chaleur. En ce temps-là, l'existence était sensible aux ordres de la parole.

Répondeurs :
J'avoue
que je relève encore
de la plus ancienne mémoire
et du chiffre parfait

Nous fûmes deux-ou-trois, chaque matin, à amarrer le Maître. Les effets d'un tel assaut ne furent pas aisément quantifiables. Des semaines pouvaient se dérouler sans que notre victime subisse une atteinte. On ne voyait pas tomber ses cheveux. Sa jambe restait vaillante. Ses mains ne divaguaient pas. Les sorts que nous lui jetions avec minutie semblaient inefficaces. Et puis, parfois, comme ça, tout bonnement, un jour d'espoir perdu, il n'apparaissait pas.
Maître absent !...
Mèt-la pa la !...
Disparaître l'avait pris !... Répondez...
Ô ce plaisir de s'aligner en face du Maître absent ! La ligne se faisait impeccable, le silence total. Les autres classes nous regardaient avec envie. Ô ce plaisir de s'asseoir dans une classe décapitée ! Les motifs d'une absence du Maître n'étaient jamais très clairs. Une rumeur évoquait l'enterrement d'un vieux de ses tontons, des réunions pédagogiques, des grippes-la-fièvre, qui l'obligeaient à disparaître durant un ou deux jours, maximum une semaine. Nous étions les seuls à supputer la raison vraie de ces absences. Alors, triomphants, nous jetions sur le reste de l'école le regard très âgé des magiciens et quimboiseurs.

Quand le Maître avait succombé, notre magie

assaillait son remplaçant : Monsieur le Directeur. Hélas... celui-là fut de tout temps inaltérable. Pas une frissonnade. Pas un reniflement. Il devait être né coiffé, diagnostiquait Gros-Lombric. Contre une telle naissance, nul ne pouvait rien. Laissez pleurer mon cœur...

Répondeurs :
Respect !...
Certains sont bien en leur affaire...

Le négrillon fut un très consciencieux amarreur. Il devint commandeur de la chance, gardien des déveines, conducteur du hasard. Il mena son destin comme on mène un mulet. Il fut maître du sort. Il passa charge de temps à ordonner aux arbres, aux billes, aux triangles, aux bonbons, aux chiffres et aux énigmes du Maître. Il s'efforça de détruire les prédateurs qui régnaient sur les récréations. Il s'essaya, saisons durant, à stopper une pluie, ou à en convoquer. À charmer des papillons, à civiliser des colibris, à se rendre invisible aux rats les plus vicieux. Il fut appliqué au désir de flotter dans les airs, de survoler des mornes dans l'aventure des alizés, de traverser les murs. Il s'évertua aux immobilisations du temps tellement utiles pour s'attarder après l'école. Et il lui fut possible d'accélérer les jours. Bien entendu, nul ne le sut jamais car l'ordre du monde n'en fut pas affecté.

Il chercha moyen de rester à la maison tout en étant à l'école. Ou vice versa.

— On ne dit pas : *Il était pris dans un kolta*... On dit : *Il avait des ennuis*...

Le Maître n'ignorait pas le monde de la Merveille. Sa parole évoquait des druides, des fées Viviane Morgane Alcide Mélusine Urgèle Urgande Holda..., des citrouilles-carrosses, un Enchanteur crié Merlin. Il nous effrayait avec d'horribles dames Carabosse, des feux follets, des gnomes, des farfadets, des lutins, des loups-garous; il nous nimbait de puissance avec des baguettes magiques; devant nos innocences médusées, il lisait des affaires de grimoires, de recettes-mandragore, de sabbats; il nous décrivait des envols de manches-à-balai sous des croupes de sorcières. Gros-Lombric, lui, à l'ombre des robinets, dans les bougonnements interdits du créole, nous évoquait des zombis, des Chouval-trois-pattes, des Manman Dlo, des Volantes, des Soucougnans, des Cercueils-arrêteurs, des Dormeuses, des Mains-noires, des Gardes-corps, des Vieux-livres, des Chiens-montés; il nous ramenait, des arrières du pays, les bel-passages de l'oiseau-glanglan, les vertus des poules-frisées, la bêtise de Compère tigre, les vices de Compère lapin, les coups-de-cervelle de Ti-Jean-Lorizon et de Ti-Sapotille. Ô j'ai songées de ses paroles-rafales sur le Maître-bois, la Chenille-trèfle, le Makandal, la Bête-à-Man-Ibè, les dorlis, l'Anticri. Il priait Saint-cœur-du-matin et Saint-corne-lambi. Il soupirait sur la Lampe-charme qui, dans le vin et l'eau bénite, pouvait soumettre à mâle autorité toutes réticences femelles. La Merveille de Gros-Lombric — *effrayante, mi, silencieuse oui !* — se nouait à nos boyaux et nous incitait à nous méfier du monde. Celle du Maître, flamboyante, nous renversait l'esprit et nous déportait en ivresse pélagique — loin dépassé.

Le négrillon regardait les livres du Maître comme on regarderait des fontaines d'existence. Et la Parole de Gros-Lombric prenait en lui, souvent-souvent, résonance de légende.

Je t'accorde, cher Maître, l'élévation du livre en moi. À force de vénération, tu me les as rendus animés à jamais. Tu les maniais au délicat. Tu les ouvrais avec respect. Tu les refermais comme des sacramentaires. Tu les rangeais comme des bijoux. Tu les emportais chaque soir comme les trésors d'un rituel sans âge dont tu aurais été l'ultime hiérophante.

Je te sais gré, Gros-Lombric, de ta parole souterraine, tu t'enfuyais par là, tu te réfugiais là, tu résistais là, tu l'habitais d'une minutie immodérée, et cette griffe-en-terre lui conférait une force latente — je n'en percevrai la déflagration qu'une charge d'années plus tard malgré l'oubli de ta figure et du son de ta voix. (Tu n'étais pas conteur, tu étais toutes-mémoires.)

— Ventrrebleu, Soubarrous, on ne dit pas : *Woulo !*, on dit : *Brravo !...* N'est-ce pas bien mieux ? !...

En quelque jour de grande magie (le négrillon avait associé à ses stances d'amarrages la force médiumnique d'un tamarinier), le Maître fut atteint d'un mal-rein. On nous envoya un autre Maître. Celui-là était un tac bizarre. Plus jeune-gens, il n'arborait pas de cravate, ni de costume, mais de petites chemises flottantes. Il portait une barbiche indocile, et de grosses loupes sur des yeux de crapaud. Il occupa le poste un peu plus d'une semaine et nous secoua le monde. Sans l'utiliser lui-même, il tolérait notre créole pour mieux déployer le français. Il avait lu un poète crié Césaire, le citait tout le temps, et se réclamait de négritude. Il se pointait parfois avec des boubous africains et n'évoquait pas l'Afrique ou le reste du monde avec mépris. Durant les lectures, il transformait à haute voix l'univers de Petit-Pierre : les mûres devenaient des calebasses, pommes et poires se transformaient en dattes. Les images étaient modifiées : *Haut comme trois pommes* se disait *Haut comme trois amandes, Maigre comme un loup en hiver* devenait *Maigre comme la hyène du désert.* Il prétendait que nos ancêtres n'étaient pas des Gaulois, mais des personnes d'Afrique. Il prenait le contre-pied du Maître avec obstination, plaisir et joie rageuse. Mais il ne touchait ni à l'Universel, ni à l'ordre du monde. Nous ne comprîmes jamais ce qu'il pouvait bien nous vouloir. Comme il n'était certainement pas né coiffé, le Maître-indigène fut transformé en comète : fugace et inutile autant.

Quand le Maître-indigène voyait Blanc, il mettait Noir. Il chantait le nez large contre le nez pincé, le cheveu crépu contre le cheveu-fil, l'émotion contre la raison. Face à l'Europe il dressait l'Afrique. Pour vivre son français, il s'appuyait sur un contre-français qu'il disait révolutionné. Il était en opposition. Nous n'avions pourtant pas le sentiment d'avoir affaire à une autre personne que le Maître. C'était comme si l'ombre d'après-midi de ce dernier s'était levée du sol, pour se mettre à vivre comme un diable-ziguidi. Il nous comprimait autant. Nous conformait autant. Les magiciens le condamnèrent sans sommation.

Répondeurs :
Oubli :
l'odeur de la mandarine
transporte joie de Noël,
c'est promesse bien bonne même.

Temps-en-temps, le Maître-indigène, face à nos mutités, se résignait : *Eh bien, qu'à cela ne tienne, dites-le-moi en créole !...* Mais nous demeurions tout autant ababas ; de parler un créole officiel nous faisait soudain honte : c'était reconnaître l'irrémédiable de notre échec, accepter notre mise en dalot.

Répondeurs :
Qu'était
créole devenu
au fond de nous,
brisés ?

Le négrillon était devenu un secret ambulant. Il retenait sa parole, cachait les bouffées de sa tête. Man Ninotte avait beau l'interroger sur l'école, il ne lui révélait rien comme pour ne pas l'attrister. Il avait le sentiment de trahir la mission informulée qu'elle lui avait assignée : réussir à l'école. Elle ne lui avait jamais dit : *Il faut arriver, il faut réussir... !* mais elle mettait tant de soin à le préparer, tant d'attention à l'accompagner, regardait les Maîtres avec tant de dévotion, que le négrillon y percevait un enjeu extrême. Désespérant des confidences, Man Ninotte tentait de lire dans ses yeux, sur ses doigts tachés d'encre, et surtout sur ses vêtements. Pour le négrillon, les vêtements n'existaient pas. C'est-à-dire qu'ils ne l'empêchaient pas de vivre. Il se roulait dans toute poussière. Il se traînait sur toute muraille, il dévalait assis toute pente. Man Ninotte devait mener grande guerre pour faire durer ses shorts. En ce qui concerne ses chaussures, elle dut se rabattre bien vite sur d'épais godillots quasi indestructibles, car le négrillon s'en servait moins pour marcher que pour shooter l'univers en entier, surtout les manmans-roches.

Enfiler les godillots, c'était enfiler une armure. La cheville prise dans cette raideur de cuir devenait invincible. Une sourde lutte se déployait alors entre la chaussure et le négrillon. Il la soumettait à dure épreuve, autant pour briser cette résistance que pour éprouver la puissance d'un pied protégé des douleurs. Il la cognait, l'enfonçait dans les flaques, la ripait dans les graviers. Le godillot réagissait en lui filant des ampoules douloureuses aux talons ou en lui irritant une jointure d'orteil. Puis, il se mit à lui filer des échauffures terribles qui se manifestaient le soir, quand il mettait ses pieds à l'air et que l'odeur libérée — *bondieu seigneur!...* — terbolisait la maison — *... cet enfant-là va nous tuer!...*

Il faisait chaud-dépassé mais la sandalette était mal vue ; le pied sans chaussettes était honni ; la chemise sans manches versait au mauvais genre. Le climat était nié. Et ça n'a pas changé.

Les godillots étaient d'un beau marron au départ, des crans métalliques brillants agrippaient les lacets. Au fil de la bataille, ils devenaient ternes, couleur terre mouillée, puis manière caca-bœuf. Bientôt, comme les autres écoliers, le négrillon se trimbalait aux pieds les bouffissures de deux ignames sans nom. Mais les godillots ne crevaient jamais. Ils devenaient juste trop petits et se voyaient relégués sous un lit dans la retraite bien méritée des combattants extrêmes.

Comprimé à l'école, le négrillon s'ouvrait comme un parapluie une fois dehors, une fois chez lui, une fois dans la rue. Tout en dehors de l'école devenait plus grande école encore. Ce qui comptait, c'était un lot de choses intérieures, qui l'animaient, le touchaient, et auxquelles les Maîtres demeuraient étrangers.

On le précipita face à la lecture et l'écriture alors qu'il ne savait rien de lui-même, ni de la vie, ni des Grands, ni de ce monde qu'on lui portait.

— Mettons les choses au point : ne me parlez plus de *titiris,* parlez-moi d'*alevins.* Ne pas avoir d'amour-propre ce n'est pas *être sans-sentiment...* Et si quelqu'un vous agace, dites qu'il vous agace, et non, seigneur, qu'il vous *terbolise... !* ô sauvages !...

Le Maître n'adressait aucune félicitation à Man Ninotte. Il était juste poli avec elle. Face aux aptitudes du négrillon, il n'éprouvait nulle pâmoison de plaisir comme pour deux ou trois petits génies de la classe. Alors, Man Ninotte, appliquée, cuisina à son petit incapable de délicieuses cervelles d'agneau destinées à augmenter les faiblesses de la sienne. De cervelle en cervelle, le négrillon avait l'impression de devenir un tac plus intelligent. Il s'en inquiétait auprès de Man Ninotte qui, elle aussi, voyait croître cette intelligence à vue d'œil, comme une mauvaise herbe. Le Maître seul, aveugle comme à l'accoutumée, n'en témoigna jamais.

Malgré la science épicière de Man Ninotte, il fallait du courage pour avaler chaque semaine la pâte visqueuse d'une salade de cervelle. D'autant que Jojo-l'algébrique lui avait expliqué qu'une cervelle de mouton ne conférait au mangeur que les vertus bêlantes du mouton. Paul-le-musicien n'avait pas dit le contraire. Le Papa, consulté sur cette question, se déclara étranger à la pensée magique de Man Ninotte et demanda qu'on l'abandonne en dehors du débat. Le négrillon conserva donc un œil sur la progression discutée de son intelligence, et un autre sur les inflexions de sa langue. Au réveil, il se murmurait un petit bonjour pour vérifier que cela ne sortait pas en langage de mouton. À tout hasard, il vérifiait aussi ses oreilles et la texture de ses cheveux.

Les jours d'après-cervelle, le négrillon se sentait un allant. Me voici, te voilà. Il osait regarder le Maître et attendait une question. Il avait le regard brillant et l'épaule moins courbée. Le Maître, qui n'attendait plus rien de lui, ne sut jamais utiliser ces moments de grâce intelligente. Quand l'effet de la cervelle diminuait, il fallait rentrer en survie, faire mur, couleur table, invisible à moitié, plus discret qu'une chenille désespérant d'être papillon à l'en-bas d'une feuille tendre.

— Dieux du ciel! La *pulpe* n'est pas le *nan-nan*!

Mais il n'y avait pas que la cervelle. L'huile de foie de morue était le meilleur des fortifiants —

et la pire des épreuves. Ces jours-là, Man Ninotte ne négociait même pas. Elle entrait en guerre sans merci, muette, obstinée. On était saisi par une aile, coincé entre deux genoux. La Baronne prêtait souvent main-forte à cet assassinat. Puis immobilisé, narines pincées, on ne pouvait qu'avaler cette horreur poisseuse. Elle te pénétrait comme un désespoir froid et irradiait dans ton corps des fragrances mortuaires. On ne savait plus quoi faire de sa bouche, ni du goût de sa langue. On demeurait gueule ouverte en grand, de peur de déglutir encore, d'en ressentir le goût. Man Ninotte offrait alors une sucrerie sur laquelle, cœur dépendu, on agonisait durant une heure ou deux.

Parfois, le négrillon avait trop résisté. Une partie de la cuillerée avait dégouliné sur son menton. Dans son cou. *Fer!...* L'odeur mortelle du foie de morue lui enrobait la tête. Alors, Man Ninotte le capturait pour une nouvelle dose. Ça lui en faisait donc une et demie. C'est pourquoi il apprit à ne plus résister, à se mettre en catalepsie, à laisser couler la chose direct dans sa gorge morte, et à ne ressusciter frénétique que sur la seule doucelette.

Répondeurs :
Fer...!

Très vite, l'ordre de la classe s'était figé : les intelligents, les têbês, et les cas-désespérés. De manière plus ou moins consciente, le Maître ne prêtait plus attention qu'à ceux dont il espérait quéchose. Les autres étaient abandonnés à l'incurie créole ; il les interrogeait peu, ne s'alarmait plus d'une incompréhension, tenait pour négligeable leurs quelques bonnes réponses. Si d'aventure l'un des têbês ou l'un des cas-perdus exprimait une réponse juste, il se voyait reprocher son accent, sa tenue, sa manière d'avoir levé le doigt, la mollesse de sa pose... et une raillerie du Maître soulignait la rareté de l'événement. Un intelligent engoncé dans une mauvaise réponse était tout de même félicité pour sa participation, son empressement, l'éclat de qualité qu'il injectait dans cette grisaille. Si bien que les têbês jouaient au têbê et que les petits-génies, confits dans une gloire acquise, ne se forçaient à rien.

Le Maître aimait enseigner. C'était, à l'évidence, le sirop de sa vie. En professant, il ne s'adressait pas à nous seuls mais à la terre entière. Membre élu de l'humaine condition, il se penchait au-dessus de nous depuis les solitudes de cette charge, et, sans vraiment nous voir, ni même nous prendre en compte, il assenait aux barbares du monde l'évangile des valeurs universelles. On pouvait le voir arriver, accablé d'un malheur domestique, déraillé par une toux caverneuse, et se requinquer au fil d'une leçon, comme drogué par la craie, le tableau, ses livres ouverts sur le bureau, la science née dans sa gorge. Une énergie arrachante le soutenait, et, devant nous, il semblait batailler raide avec l'Ombre qui pesait sur les hommes. Grands gestes. Grondements. Coups de règle aux pupitres. Cela se traduisait aussi en digressions errantes sur la Paix, les dictatures, les camps nazis, la conscience de la science, la bombe, le travail à la chaîne, la Sécurité sociale, la puissance américaine... Parfois, s'admettant Nègre sur cette planète, il tempêtait contre l'Afrique du Sud, le Ku Klux Klan, la misère de Patrice Lumumba..., avant de se réfugier dans la transparence humaniste au cœur de laquelle il rendait ses verdicts. Lors de la sonnerie, il ordonnait l'envol d'un geste las. Notre frénésie sauvage libérée en direction de la cour semblait l'accabler encore. Il regardait notre troupeau se bousculer avec le sentiment diffus d'avoir perdu son temps. Mais cela ne durait pas. Sur le préau, en face des autres Maîtres, le souci de paraître fort le prenait; il entrait dans la parade en s'efforçant d'occuper, à l'instar de ses collègues, le plus d'espace possible.

— On ne dit pas : *donner par méchanceté*... On dit : *donner généreusement*...

Le Maître était encore le Maître dans la rue. Il ne marchait pas comme tout le monde, mais avec plus de gravité, comme si à tout moment il ne perdait pas une goutte de lucidité sur la réalité de l'existence. On le regardait. On le saluait. On traversait pour lui toucher la main. On tentait de l'entraîner dans quelque vaine causette, mais il n'y prêtait qu'une oreille distraite et ne troublait nullement la sévère mécanique de son pas. Il n'avait pas peur des automobiles comme le commun des mortels. Il s'engageait sur la chaussée sans vraiment regarder, en levant juste un doigt comminatoire; son aura était si puissante que les pires chauffards, dans une silencieuse colère, freinaient à mort pour le regarder rejoindre l'autre trottoir. Lui, ne les regardait pièce...

— Que voulez-vous dire, cher ami, quand vous écrivez : *il a douciné son café...* Est-ce à dire qu'il l'a sucré ?

Chacun s'en venait affronter le Maître avec les médecines de sa manman. Selon l'effet de ces médications secrètes, on voyait tel ou tel pénétrer dans la classe avec plus ou moins d'allant. Mais de belles dispositions se voyaient fracassées par un reste d'enfance. Notre corps nous jouait des tours. Nous avions appris à le comprimer sur un banc mais il nous échappait en bien des endroits. Ainsi donc, tel ou tel se voyait inondé en plein milieu de la classe par un pipi inattendu. Son doigt levé pour quémander le petit-coin n'avait fait qu'accompagner le déluge. Tel autre, léthargique depuis le matin, se redressait soudain, nimbé du plus détestable des parfums. Son voisin de banc se mettait à hurler à la mort. Une joyeuse panique bouleversait les pupitres les plus proches. Chacun semblait frappé au mitan des narines. Le cacarelleur restait cloué à sa place par la bouillie malodorante qui dégoulinait sous lui. Le Maître, magnanime, mobilisait un de ses préférés afin de conduire l'empesté à l'infirmerie. Il le regardait s'éloigner d'un œil morne, et revenait pensif au-devant du tableau. Il portait le même regard sur ceux dont la narine moulinait sans cesse un petit filet vert, ou sur ces malheureux dont les jambes miroitaient d'une multitude de ti-bobos que l'on appelait des feux, et qui passaient leur temps, avachis contre le pupitre, à se gratter, à se gratter, à se gratter... Pour le Maître, ces symptômes devaient être la somatisation de l'ignorance contre laquelle il luttait. Nos pipis, nos diarrhées et nos feux lui servaient de balises pour évaluer la portée de sa tâche. Et, à en juger par sa fatigue, nul début de clarté ne s'entr'apercevait.

Ô Répondeurs, enlevez-moi de là...

Gros-Lombric avait abandonné la partie. Il n'essayait plus de poser une question, voire de répondre à l'une des colles du Maître. En matière de calcul, il n'intervenait pas non plus; sa belle aptitude aux chiffres s'était dissoute dans l'ennui qui maintenant l'accablait. Son corps avait perdu sa sève : il ne se triturait plus les doigts, ne balançait plus les jambes, ne trépignait plus du talon contre le plancher. Prostré, il laissait couler les heures de classe dans des somnolences embusquées derrière ses yeux ouverts. Mais ce camouflage était inutile : le Maître ne s'inquiétait même plus de ses torpeurs. Celui-ci circulait à présent de préféré en préféré, sollicitait mollement une participation des confins de la classe, et revenait là-même aux préférés des premiers rangs. Parfois, une sainte colère le projetait jusqu'au fond de la classe sur l'un des cas-perdus. Il brusquait ce dernier sous tous les modes possibles, lui prédisait un avenir sinistre dans les champs de cannes-à-sucre sous la griffe des békés, puis l'abandonnait à son sort jusqu'au prochain hoquet de sa conscience.

Gros-Lombric avait lâché ça. Il semblait avoir accepté ce que le Maître avait décidé qu'il était. Il avait perdu cette serrée farouche que le négrillon admirait en lui lors des heures difficiles, un œil vif, une décision du menton, une compacité de son corps arc-bouté dans la classe. Le négrillon qui le guettait du coin de l'œil perçut — il dut en être le seul — l'impalpable destruction. Gros-Lombric était absent, absent de la classe, absent de lui-même. On ne le voyait plus vivre-son-corps dans les récréations ou hanter la bataille des triangles. Il ne s'attardait plus à nous distiller une parole, un proverbe, nous effrayer d'un conte. Son corps flottait auprès des robinets ou devant les grilles de l'entrée comme une yole-zombie. La marchande des douceurs — chose pas courante — lui tendait un tamarin sucré, et lui débitait un vieux créole préoccupé. Elle semblait vouloir lui barrer la sortie. Mais Gros-Lombric lorgnait désormais en direction des vents, regarder vers la vie, dissiper l'échec de cette enfance, de ce temps d'écolier, grandir vite, grandir vite, et entrer dans une autre cadence.

Répondeurs :
Il retirait ses pieds !...

Gros-Lombric avait retiré ses pieds. Le Maître n'en sut jamais rien. Il aurait fallu qu'il regarde, ou qu'il sache regarder, ou qu'il ait le temps. Il ne voyait que le Gros-Lombric farouche, de plus en plus tête-raide, insensible aux punitions, aux renvois, aux coups, plus s'en-fout de ce qui s'enseignait. Mais le négrillon lui, tout à côté, voyait, voyait, oh rien, juste une tremblée, le désarroi d'un coup d'œil que Gros-Lombric lui lançait. Effondrements fugaces. Adieux même pas nommés. Vus sans être vus.

Répondeurs :
Même sans grandir
l'autre cadence !...

Le négrillon, lui, avait sombré dans la même léthargie. L'école disparaissait des curiosités de son esprit. Il ne vivait que sur la route du retour, dans le faste des triangles, sur les trésors que les petites-personnes s'échangeaient lors des récréations. Par contre, en arrivant à la maison il trouvait une ambiance studieuse mais attrayante. La Baronne, Marielle, Paul-le-musicien et Jojo-l'algébrique étaient installés à la table de la salle à manger. Man Ninotte debout près du réchaud faisait frire des coulirous ou roussir les légumes d'une soupe maigre. Chacun déployait sur la table ses cahiers, ses livres, ses feuilles, ses trousses. Chacun travaillait, révisait, se faisait expliquer des choses énigmatiques. La Baronne effectuait son propre travail et supervisait celui des autres. Mieux : le travail des autres était aussi le sien ; sans aucun ordre de Man Ninotte, elle prenait ses frères et sœurs en charge comme s'il se fût agi de ses propres enfants ou d'une autre part d'elle-même, et jamais de toute sa vie elle ne rompra ce dévouement. Elle disposait d'une lucidité que nous prendrions du temps à acquérir, et sa bataille contre la misère la précipitait sur tous les fronts. Baronne à l'enfance courte, ô guerrière prématurée...

La Baronne savait organiser en sévérité, traquer les paresses, bousculer les langueurs. Elle ne négligeait rien, ne perdait rien, ne jetait rien. Elle savait le prix d'une tête de pain rassis, d'un reste de crème, d'un vieux cahier. D'une miette de toile, elle se sortait une robe, du moindre haillon, une parure d'élégance. Elle savait aussi maquiller l'existence sous un art des douceurs; un œuf, une lichette de farine, une trace de sucre : *c'étaient gâteaux !...* Son sillon allait droit, sans fantaisie, et plus d'un écervelé crut que son cœur était raide.

Répondeurs :

Ô Baronne du cœur ...

(Baronne, au prix de ton enfance, notre enfance préservée...)

Le négrillon était exclu de cette assemblée studieuse. Alors, il voulut s'y adjoindre. Le voilà s'insérant à un bout de table avec son cartable de rien. Le voilà griffonnant sur son ardoise.

C'est lui, réclamant à la Baronne du papier pour écrire. C'est vraiment lui, attentif, sourcils noués, mimant la réflexion pour mieux coller aux autres. À mesure qu'il eut des leçons et de petits devoirs, il put en grande fierté se glisser sous l'autorité de la Baronne et, avec ses frères et sœurs, vivre le travail-l'école jusqu'à ce que le Papa (ramené par la faim) sonnât l'heure du manger.

À cette table, le négrillon vit les livres scolaires de ses frères et sœurs; il se mit à les envier. Le Maître l'avait déjà impressionné par la considération qu'il portait aux livres; le négrillon s'étonnait de voir ces mêmes objets traités avec désinvolture par Jojo-l'algébrique ou par Paul. Ils en pliaient les pages, griffonnaient dessus, les soulevaient par une aile. Marielle y mettait à sécher des pétales. Seule la Baronne, méticuleuse en tout, leur accordait un soin particulier mais bien inférieur aux dévotions du Maître. Les Grands, au fil des années, avaient reçu d'autres livres, c'étaient des prix d'encouragement ou des prix d'excellence. Des ouvrages de Jules Verne, de Daniel Defoe, d'Alexandre Dumas, de Lewis Carroll, de la comtesse de Ségur, de R.L. Stevenson... Man Ninotte les conservait dans une boîte à laquelle le négrillon avait accès. Il ne pouvait toucher aux livres scolaires, mais on le laissait volontiers approcher de ceux-là : le voir feindre de lire, feuilleter les pages, s'étourdir sur les illustrations, provoquait un émoi attendri. Sans l'y encourager on le laissait faire.

Avoir un livre en main, imiter les gestes du Maître, le respect, la lenteur, les ouvrir au délicat, les soutenir avec ferveur, prendre la mine gourmée au-dessus de la première phrase, feuilleter avec l'air de chercher quelque chose d'essentiel, s'arrêter pour méditer on ne sait quoi. Le négrillon était grand-grec en macaqueries. C'est lui, de plus en plus immobile auprès de cette caisse magique qui le rapprochait inconsciemment du Maître. Le voilà, poursuivant la Baronne pour se faire expliquer une image : *Quoi ? Quoi ? Qu'est-ce qui s'est passé là ? Pourquoi il y a ça ?...* Et la Baronne lui expliquait. Et lui réexpliquait. Mais les explications, le plus souvent partielles, étaient plus taraudantes encore. Il balayait des yeux les petites lettres indéchiffrables, s'efforçait de reconnaître l'une ou l'autre, repérait un mot, une syllabe, allait jusqu'à la dernière page, revenait, prenait un autre livre...
Le livre, pour lui, était objet fantasmagorique. Man Ninotte, elle, les percevait comme tabernacles des sciences. Jamais elle ne lui interdit d'y toucher, de les manipuler, de les aligner, de les superposer, de faire semblant de les lire.

Quand elle découvrit son intérêt, elle lui ramena bientôt des abords du marché-aux-poissons (un djobeur y bradait toutes espèces de papiers dans une grande brouette) ce qui était approchant du livre : journaux, almanachs, bandes dessinées, romans policiers, photo-romans, tout... Le négrillon abordait chaque objet imprimé avec la même gourmandise.

La caisse-à-livres était une caisse de pommes de terre, d'un bois blanc relié par une tresse de fil-fer. Man Ninotte l'avait fourrée dans un fond de penderie, sous les linges d'enterrement. Temps en temps, le négrillon y provoquait la fuite d'une souris qui avait grignoté la douce colle d'un livre. Il sonnait le tocsin, hurlait à l'attentat. Poursuivait la bestiole sous l'armoire, la traquait sous les lits. Son émoi ne suscitait pas de renfort particulier. Man Ninotte se contentait d'une malédiction sur l'engeance des rates. La Baronne ne disait rien. Chacun semblait considérer qu'un livre lu était chose terminée. On les conservait comme les boîtes de conserve, les bouteilles, le papier : *pour si en-cas...* Man Ninotte leur accordait un intérêt mal identifié, ce n'étaient pas choses utiles contre les aléas de la vie quotidienne. Elle les préservait sans plus, au nom de l'Instruction.

Dans la boîte, les livres avaient confit sous une

couche de poussière. Leur papier s'était jauni, un peu durci. Ils étaient craquants comme bambous en carême. Des lectures peu assidues ne les avaient pas usés, mais des ravets de passage les avaient tachés. Ils semblaient provenir, presque intacts, d'un autre âge. Le négrillon avait parfois l'impression qu'ils avaient glissé des mondes fabuleux dont leurs images attestaient l'existence. Quand on en soulevait un, il s'accrochait aux autres par des fils d'araignée. Et quand on les ouvrait, quand on les ouvrait, le papier dérangé exhalait comme une haleine ancienne, *oh, quand on les ouvrait...*
Pour atteindre la boîte, il fallait s'engager dans le noir déserté, sous les vêtements de la penderie, le cœur battant. C'était sortir d'une grotte le coffre d'un trésor...

Le négrillon recomposait les livres à partir des images. Il imaginait des histoires et s'efforçait de les retrouver dans les textes imprimés toujours indéchiffrables. Bientôt, il n'eut pièce besoin de questionner quiconque. Il construisait ses propres récits, les diffusait dans les lettres incompréhensibles et les suivait obscurément de phrase en phrase, comme cela, jusqu'à la fin. Il apprit à amplifier un événement pour qu'il corresponde au nombre de lignes d'une page. Il sut s'élancer d'une image jusqu'à atteindre une autre en s'y adaptant bien. On eut l'impression qu'il faisait mine de lire ; en fait, il lisait vraiment ce que sa délirante imagination y projetait à chaque fois. Le petit jeu du départ (macaquerie destinée à le grandir aux yeux des autres) devint une nécessité plaisante qui nourrissait les aventures de son esprit.

Mais les livres conservaient des secrets que son imagination ne parvenait pas à compenser. Quand il avait terminé son histoire, le texte reprenait sa placidité indécodable. Le livre redevenait compact. Clos. À cause de cela, il prêta une attention particulière aux séances de vocabulaire du Maître, il se mit à retenir les mots, à les utiliser, à s'en souvenir, à en augmenter sa parole quotidienne. Il fut sensible à l'effet que produisait un mot français nouveau : Man Ninotte le regardait yeux ronds, ébahie et fière ; la Baronne plissait les yeux pour être certaine qu'il en savait le sens. Même Jojo-l'algébrique depuis son nirvâna chiffré lui accordait un œil. À mesure-à mesure, la petite langue créole de sa tête fut investie d'une chiquetaille de langue française, de mots, de phrases... Cela ne devait plus s'arrêter...

Répondeurs, je ne suis pas bien là...

Le mystère des livres le rendit attentif aux

séances d'écriture : comprendre comment cela marchait. Il n'écrivait pas bien, ses pleins et ses déliés n'étaient jamais parfaits. Le Maître traquait les taches d'encre de ses feuilles, de ses doigts, punissait le désastre qui s'établissait autour de son encrier. Il hélait, menaçait, inscrivait des points d'exclamation en marge de ses pages d'écriture. Mais cela n'atteignait pas le négrillon. Les a b c w y z — ce grand arroi de lettres dont il pressentait les potentialités d'agencement — le fascinaient. Il s'y plongeait avec délices, non pour le Maître mais pour lui-même. Enclos sur ses pages d'écriture, il vivait de vrais bonheurs : la plume qui crisse, son ouverture sur une courbe, la lettre qui naît, qui hésite, qui se ferme et emprisonne son sens, la refaire, la voir naître autrement, la tenter encore, la voir blessée, la réussir un peu... Gros-Lombric, amorphe, le regardait du coin de l'œil.

Que voyait-il, lui, ce gouverneur-créole ?

Que voyait-il, lui, qui allait disparaître des chemins-écoliers ?

Sans doute pas grand-chose.

Il lui aurait fallu un vieux don de voyance pour deviner que — dans ce saccage de leur univers natal, dans cette ruine intérieure tellement invalidante — le négrillon, penché sur son cahier, encrait sans trop savoir une tracée de survie...

Répondeurs :
Conteurs, contez... !
Ho, la place est belle !

Favorite, 21 janvier 1994

DU MÊME AUTEUR

Aux Éditions Gallimard

CHRONIQUE DES SEPT MISÈRES, *roman*, 1986. Prix Kléber Haedens, prix de l'île Maurice.

CHRONIQUE DES SEPT MISÈRES, *suivi de* PAROLES DE DJOBEURS. *Préface d'Édouard Glissant* («Folio», *n° 1965*).

SOLIBO MAGNIFIQUE, *roman*, 1988 («Folio», *n° 2277*).

ÉLOGE DE LA CRÉOLITÉ, avec Jean Bernabé et Raphaël Confiant, *essai*, 1989.

ÉLOGE DE LA CRÉOLITÉ/*IN PRAISE OF CREOLENESS*, 1993. Édition bilingue.

TEXACO, *roman*, 1992. Prix Goncourt 1992 («Folio», *n° 2634*).

ANTAN D'ENFANCE, 1993. *Éd. Hatier*, 1990. Grand prix Carbet de la Caraïbe («Folio», *n° 2844* : *Une enfance créole*, I). Préface inédite de l'auteur.

ÉCRIRE LA «PAROLE DE NUIT». LA NOUVELLE LITTÉRATURE ANTILLAISE, *en collaboration*, 1994 («Folio Essais», n° 239).

CHEMIN D'ÉCOLE, 1994 («Folio», *n° 2843 : Une enfance créole*, II).

L'ESCLAVE VIEIL HOMME ET LE MOLOSSE, *roman*, 1997. Avec un entre-dire d'Édouard Glissant («Folio», *n° 3184*).

ÉCRIRE EN PAYS DOMINÉ, 1997 («Folio», *n° 3677)*.

ELMIRE DES SEPT BONHEURS. *Confidences d'un vieux travailleur de la distillerie Saint-Étienne*, 1998. Photographies de Jean-Luc de Laguarigue.

ÉMERVEILLES. Avec Maure, 1998 («Giboulées»).

BIBLIQUE DES DERNIERS GESTES, *roman*, 2002 («Folio», *n° 3942*).

À BOUT D'ENFANCE, 2005 («Haute Enfance»).

Aux Éditions Gallimard Jeunesse

LE COMMANDEUR D'UNE PLUIE, *suivi de* L'ACCRA DE LA RICHESSE, illustrations de William Wilson, 2002 («Giboulées»).

Chez d'autres éditeurs

MANMAN DIO CONTRE LA FÉE CARABOSSE, *théâtre conté, Éd. Caribéennes*, 1981.

AU TEMPS DE L'ANTAN, *contes créoles, Éd. Hatier*, 1988. Grand prix de la littérature de jeunesse.

MARTINIQUE, *essai, Éd. Hoa-Qui*, 1989.

LETTRES CRÉOLES, *tracées antillaises et continentales de la littérature, Martinique, Guadeloupe, Guyane, Haïti, 1635-1975*, en collaboration avec Raphaël Confiant, *Éd. Hatier*, 1991. Nouvelle édition («Folio essais», *n° 352*).

GUYANE, TRACES-MÉMOIRES DU BAGNE, *essai, C.N.M.H.S.*, 1994.

LES BOIS SACRÉS D'HÉLÉNON, en collaboration avec Dominique Berthet, *Dapper*, 2002.

Composition Euronumérique
Impression Novoprint
à Barcelone, le 05 juin 2006
Dépôt légal : juin 2006
Premier dépôt légal dans la collection : juin 2006

ISBN 2-07-039496-4./Imprimé en Espagne.

145001